STYLE
YOURSELF

Bibliotheek Geuzenveld
Albardakade 3
1067 DD Amsterdam
Tel.: 020 - 613.08.04

STYLE YOURSELF

met inspirerende foto's en stylingtips
van 's werelds bekendste fashionbloggers

INHOUD

Een paar woorden van Jane Aldridge | Sea of Shoes

Voor mij is mode altijd de beste manier geweest om te ontsnappen aan de werkelijkheid. Toen ik drie was, had mijn moeder me een keer verkleed als Coco Chanel (ze had mijn kostuum zelf gemaakt!) en vanaf dat moment was ik altijd bezig met mijn eigen stijl. Op mijn tiende begon ik vintage te verzamelen in kringloopwinkels en op de middelbare school had ik steeds problemen, omdat ik me niet aan de kledingvoorschriften hield doordat ik waanzinnige hakken droeg.

En toen kwam ik op internet. Op mijn vijftiende, in 2007, ben ik met Sea of Shoes begonnen. Ik verveelde me en ging fanatiek op zoek naar designer-koopjes op eBay. Ik begon te bloggen over mijn outfits en dat werd al gauw een manier om structuur aan te brengen in mijn inspiratie. Zo kwam ik erachter wat mijn eigen stijl precies was en – hoe raar dat ook klinkt, het was net of ik een online hulpgroep voor modeliefhebbers had gevonden! Er zijn vast veel meisjes die ook het gevoel hebben dat ze in een soort woestijn wonen waar geen echte fashion te vinden is, want mijn blog kreeg een heleboel volgers.

Overal zijn bloggers die over mode schrijven. Ze doen verslag van fashionshows, laten hun ontdekkingen zien, maken fotocollages van hun favoriete stijliconen… of ze vertellen mensen hoe ze op een betaalbare manier hun kledingkast opnieuw kunnen inrichten. Met deze bloggers hebben we dit boek gemaakt. Je zult hier enorm veel ideeën in vinden, van bloggers van over de hele wereld.

Omdat ik in een kleine gemeenschap woonde, moest ik creatief zijn om mijn eigen fashion-fantasiewereld te creëren en ik geloof echt dat iedereen dat kan, waar je ook woont. En mijn fashion-advies? Durf risico's te nemen, kies voor mooie, tijdloze dingen en zoek op onver- wachte plaatsen naar kledingstukken die jou inspiratie geven. Als je die perfecte combinatie van vorm, kleur, structuur en detail weet te vinden, dan weet je dat jij hét hebt – en dat is een supergaaf gevoel.

Jane Aldridge

Nadia Sarwar | Frou Frou
Londen, Verenigd Koninkrijk

Autilia Antonucci
Perth, Australië

Chantal van der Meijden | Cocorosa
New York, Verenigde Staten

Rhiannon Leifheit | Liebemarlene Vintage
Atlanta, Verenigde Staten

Dit zijn een paar van
de vele inspirerende
fashionbloggers die
meewerkten aan
Style Yourself…
van Johannesburg tot
Stockholm, en van
Atlanta tot Osaka.

Michelle Haswell | Kingdom of Style
Londen, Verenigd Koninkrijk

Shini Park | Park & Cube
Londen, Verenigd Koninkrijk

Tavi Gevinson | Style Rookie
Oak Park, Verenigde Staten

Funeka Ngwevela | Quirky Stylista
Johannesburg, Zuid-Afrika

Adeline Rapon
Parijs, Frankrijk

Yuki Lo | Oriental Sunday
Hong Kong, China

Clara Campelo | Zebra Trash
Rio Branco, Brazilië

Shan Shan | Tiny Toadstool
Osaka, Japan

Carolina Engman | Fashion Squad
Stockholm, Zweden

Cristina Morales | La Petite Nymphéa
Barcelona, Spanje

Karla Deras | Karla's Closet
Simi Valley, Verenigde Staten

Susie Lau | Style Bubble
Londen, Verenigd Koninkrijk

Barbro Andersen
Oslo, Noorwegen

DE BASICS

HOE BOUW JE JE GARDEROBE OP?

Er is geen vaste regel voor kledingstukken die je móét hebben – tenslotte bepaal je zelf wat jouw persoonlijke stijl is. (Hoewel rotweer en je werkomgeving ook de nodige invloed kunnen hebben.) Hieronder vind je wat ideetjes die je kunnen helpen om op alles voorbereid te zijn: een weekendje weg, een belangrijke presentatie op kantoor of een opwindende date.

TOPS

Je kunt nooit de mist in gaan wanneer je een goedgevulde kast hebt – van basis-stukken en grappige extraatjes tot buitenkleding. T-shirts kun je nooit genoeg hebben, of het nu zomer of winter is: ze zijn perfect om laagjes mee te maken.

4 basis T-shirts in een model dat leuk staat

1 basistopje met een opvallend detail

2 T-shirts met lange mouwen

2 hemdjes om laagjes te maken

3 nette blouses

2 tops met iets speciaals

2 wow! tops voor het uitgaan

2 vrijetijds-truien

2 strakke truitjes

2 vesten, in elke stijl

1 jas voor de regen

1 winterjas

1 nette jas

2 vrijetijds-jacks

JURKEN

Er is voor elke gelegenheid wel een jurkje te vinden, maar vaak kun je één jurkje op allerlei manieren gebruiken – het is een kwestie van stylen. Een veelzijdige jurk ziet er verzorgd uit tijdens een sollicitatiegesprek, is leuk op een feestje en hot op de dansvloer.

2 nette
jurkjes

3 vrijetijds-
jurkjes

2 feest-
jurkjes

1 geweldige
jurk

BROEKEN & ROKKEN

Voor veel vrouwen is het moeilijk goed passende broeken te vinden. Dus als je een broek of een jeans vindt die je perfect staat, koop er dan meteen een paar van hetzelfde model in verschillende kleuren.

3 nette broeken
voor alle
seizoenen

2 speelse
broeken voor de
vrijdagavond

1 klassieke
strakke jeans

1 jeans om in te
relaxen

1 sexy jeans

1 getailleerde
korte broek

1 casual korte
broek

2 rokjes
om in te daten

2 vrijetijds-
rokjes

3 nette rokjes
(alle seizoenen)

ACCESSOIRES BIJ DE HAND

Je garderobe gaat verder dan je kledingkast: je hebt ook nog een sieraden-doos, een schoenenrek en een rij met tasjes. De meeste accessoires zijn maar klein en daardoor heb je de neiging om ze snel even te kopen, maar bij elkaar kan dat nog een duur grapje worden. Met een beetje strategie zul je nooit meer zonder bijpassende schoenen, een goede tas of een eye-catching sieraad zitten.

SCHOENEN

Schoenen brengen je overal: naar de stad, naar je werk en naar allerlei andere plaatsen. Zorg dus dat je altijd comfortabele schoenen hebt waar je goed op kunt lopen, en daarnaast ook hakken die passen bij jouw favoriete broek- en roklengte. Tot slot is het handig om schoenen voor bepaalde seizoenen te hebben, zoals zomersandaaltjes met riempjes, of regenlaarzen.

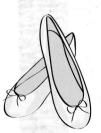

2 paar altijd-goed-ballerina's

2 paar sneakers voor het stadten

1 paar platte schoenen met versiersels

2 paar laarzen, hoge of lage

2 paar pumps voor kantoor

1 paar zomer-sandalen

2 paar hakken voor het uitgaan

SIERADEN

Juist de details kunnen je outfit afmaken. Kies kettingen die voor jou de ideale lengte en vorm hebben, verzamel verschillende soorten oorbellen en armbanden, van subtiele tot opvallende. Ringen veranderen je look minder ingrijpend, dus zoek gewoon een ring die bij jou past, en die je elke dag kunt dragen.

1 keurig parelsnoer   **1 wat ruigere ketting**   **1 flitsende hanger**   **1 leuke, sierlijke armband**   **1 grove funky armband**   **1 subtiel armbandje**

1 paar oorknopjes   **1 paar oorhangers**   **1 grote ring**   **1 minder opvallende ring**

TASSEN & RIEMEN

Je kunt niet zonder tassen en riemen: je hebt ze nodig om dingen in mee te nemen of om dingen mee bij elkaar te houden. Ga je één keer te buiten en koop een tas die er chic uitziet en die je iedere dag kunt gebruiken. Kies een brede riem in een neutrale kleur om je taille te accentueren; een smalle riem met een felle kleur of een opvallende structuur zorgt voor een beetje extra flair rond je middel.

1 clutch voor nette gelegenheden   **1 tas voor elke dag**   **1 grote casual tas waar alles in past**   **1 kleine tas voor in het weekend**

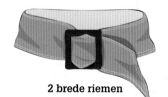

2 brede riemen   **1 smalle riem**

BEFORE

kijk wat je hebt

De beste manier om een nieuwe versie van jezelf te lanceren, is uitgaan van wat je al hebt. Vraag een vriendin of ze samen met jou je kledingkast wil sorteren. Zoek de kledingstukken uit waarin je er goed uitziet en die je graag draagt. Deze kunnen de basis vormen voor je nieuwe look. Hier hebben Jazzi en Caroline de geruite kleding, de vintage-achtige jurken met een hoge taille en de contrasterende cowboylaarzen uitgezocht, die Caroline het liefste draagt.

WORD JE EIGEN STYLIST

...met een beetje hulp van Jazzi McG!

Zelfs met een super modegevoel kun je wel eens een stylist gebruiken – een professional die door je kledingkast kan spitten, die weet wat werkt voor jouw figuur of die een spectaculaire look kan samenstellen. Hier zie je hoe stylist en fashion-blogger Jazzi McG de alledaagse Caroline helpt door kleren uit Carolines garderobe te combineren met trendy nieuwe kleding. Zo is Caroline helemaal klaar voor haar verhuizing naar Los Angeles. Kijk mee, leer wat kneepjes van het stylistenvak en gebruik die dan om jouw eigen look te creëren.

maak een plan

Voor je gaat shoppen, moet je weten wat je nodig hebt! Caroline zoekt gepaste kleding voor haar nieuwe baan als lerares, en een paar glamour outfits voor als ze uitgaat. Met het beperkte budget van $ 150,- gaan Jazzi en Caroline naar de Forever 21 voor leuke, professionele kleren en naar de vintage megastore Wasteland voor kleding met wat meer uitstraling.

chic naar het werk

Dit is Carolines geliefde geruite blouse met een nieuw rokje in een lekker kleurtje, en een lange blazer (om die *too-cool-for-school-tattoos* te verbergen). De ballerina's en geknoopte riem geven het geheel een schools tintje.

uit in L.A.

Carolines voorkeur voor vintage komt hier tot uiting in een vijftiger jaren jurkje met een trendy model. De lage laarsjes maken haar avond-outfit af. De zelfgemaakte halsketting zorgt voor een persoonlijk tintje.

AFTER

SLIM SHOPPEN

Jij bent uniek, van binnen en van buiten. Het maakt niet uit wat voor lichaam je hebt, wat je smaak is of hoeveel geld je hebt: jij kunt kleren vinden waarin je je goed voelt en waarin je er geweldig uitziet. Kleren waar je van gaat houden omdat ze cool en bijzonder zijn. Het opbouwen van de ultieme garderobe kost natuurlijk tijd en energie (plus zelfbeheersing en zelfkennis). Maar als je weloverwogen gaat shoppen, zul je uiteindelijk voor de kledingkast van je dromen staan.

Maak een keiharde selectie

Maak ruimte in je kast door alles wat versleten is, niet goed past of op een andere manier verkeerd is, weg te geven of te verkopen. Kijk dan naar je kleren die wél precies goed zijn en schrijf op welke eigenschappen die hebben – zo kun je meer kleding vinden die zijn geld waard is.

Maak een lijstje

Welke kledingstukken heb je altijd al willen hebben? Heb je binnenkort een feest of een andere gelegenheid waarvoor je iets speciaals nodig hebt? Dat zijn de dingen die je bovenaan zet.

Hou je aan je plan

Winkels zijn zo ontworpen dat ze je verleiden tot impulsaankopen. Je lijstje kan je de kracht geven om onnodige aankopen te weerstaan. Aan de andere kant moet shoppen natuurlijk ook leuk zijn, dus als je verliefd wordt op iets wat niet op je lijst staat, ga je gewoon een blokje om en denk je er even over na.

Met lege handen naar huis?!

Koop nooit iets wat niet perfect is: dat gaat ten koste van het budget dat je ook kunt uitgeven aan kleding die je écht geweldig vindt. En laat je niet verleiden door koopjes – als het perfect is, prima. Maar koop het alleen als je het ook voor de volledige prijs zou willen hebben.

Neem andere meningen met een korreltje zout

Shoppen met vriendinnen kan super zijn. Ze kunnen je inspireren of iets laten passen wat je zelf niet zou pakken. Maar hoeveel ooohs en aaahs je ook krijgt, koop iets alleen als je er zelf ook weg van bent.

Wanneer smijten met geld en wanneer zuinig doen?

Als er iets in je garderobe ontbreekt en je vindt daarvoor een prachtig, maar prijzig kledingstuk: altijd doen! Want als je daarvoor iets goedkoops neemt, kun je dat gat elk jaar weer vullen en dat is uiteindelijk duurder. Maar soms is een goedkoop jurkje of topje net wat je nodig hebt. Je basics draag je vaak en daarnaast mag je ook best elk jaar een paar goedkope trendy dingen kopen.

Kwaliteit herkennen

Wat voor kledingstuk het ook is, de naden moeten strak en recht zijn (tien steken per 2,5 cm), en als je aan de zoom trekt, moeten er geen draadjes losschieten. Knopen moeten goed vastzitten en ritsen moeten soepel op en neer gaan. Als het kledingstuk een patroon heeft, moet dat recht zitten bij de zoom. Insider tip: labels die geweven zijn in plaats van gedrukt, zijn een teken van kwaliteit.

Verstand van vintage

Het kan een hele onderneming zijn om vintage-kleding te vinden die bij jouw garderobe past, maar de beloning is groot: zo vind je stukken die de trends overstijgen en waar je lang plezier van kunt hebben. Controleer het kledingstuk voor je het koopt wel op vreemde luchtjes en vlekken – die zullen er niet meer uit gaan – en kijk of de stof niet hard is geworden, of verbleekt. Hou het kledingstuk tegen het licht om te zien of er geen

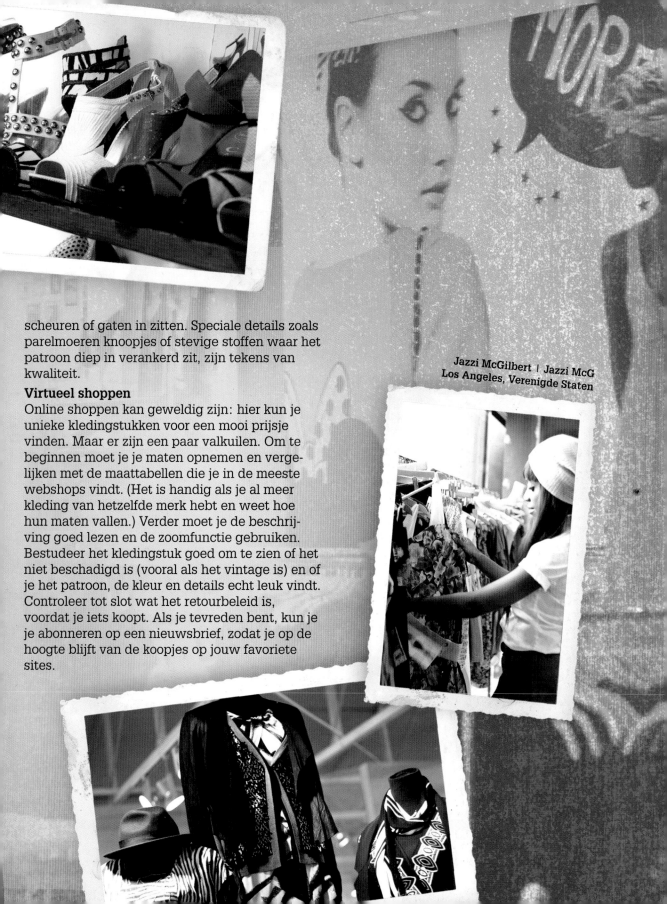

scheuren of gaten in zitten. Speciale details zoals parelmoeren knoopjes of stevige stoffen waar het patroon diep in verankerd zit, zijn tekens van kwaliteit.

Virtueel shoppen

Online shoppen kan geweldig zijn: hier kun je unieke kledingstukken voor een mooi prijsje vinden. Maar er zijn een paar valkuilen. Om te beginnen moet je je maten opnemen en vergelijken met de maattabellen die je in de meeste webshops vindt. (Het is handig als je al meer kleding van hetzelfde merk hebt en weet hoe hun maten vallen.) Verder moet je de beschrijving goed lezen en de zoomfunctie gebruiken. Bestudeer het kledingstuk goed om te zien of het niet beschadigd is (vooral als het vintage is) en of je het patroon, de kleur en details echt leuk vindt. Controleer tot slot wat het retourbeleid is, voordat je iets koopt. Als je tevreden bent, kun je je abonneren op een nieuwsbrief, zodat je op de hoogte blijft van de koopjes op jouw favoriete sites.

Jazzi McGilbert | Jazzi McG
Los Angeles, Verenigde Staten

"Mijn kleren bieden me de kans om uit mezelf te stappen en me in het avontuur te storten. Ik baseer mijn outfits niet op bepaalde schilderijen, maar de foto's op mijn blog zijn scènes waarin ik iemand anders word, een rol speel."

Louise Ebel | Miss Pandora | Parijs, Frankrijk

smoking
Blouse voor chique
gelegenheden met
een plisségedeelte
op de borst.

ruches
Ruches trekken de
aandacht naar het
gezicht. Geven volume
bij een kleine cupmaat.

Ascot
Deze kraag kun je
zelf strikken
en geeft een
dandy tintje.

victoriaans
Hooggesloten blouse
met smokwerk en
kant langs hals en
manchetten.

sabrina
Mouwloos shirt met
een boothals. Maakt
breder, dus geschikt
voor smalle figuurtjes.

keyhole
Met een uitdagende
ovale opening waar-
door je net een
beetje decolleté ziet.

keurig kraagje
Een kraagje
met een ronde lijn
dat plat op
het shirt ligt.

matroos
Dit matrozenshirt
heeft een grote kraag
die uitloopt in een
vierkant op de rug.

brede kraag
Een brede band stof
geeft dit shirt een
bijzondere, vrou-
welijke uitstraling.

diepe v-hals
Supersexy; richt de
aandacht op het de-
colleté. Niet voor alle
gelegenheden!

haltertopje
Door de band rond
de nek is de rug
bloot. Ideaal als je
mooi bruin bent.

strapless
Eigenlijk een cilinder
van elastische stof.
Een strapless beha
geeft voldoende model.

raglanmouwen
Met dit model lijken
de schouders
smaller. Een slank
en sportief model.

do it yourself

SPRANKELENDE
SAFARI

Karla Deras | Karla's Closet
Simi Valley, Verenigde Staten

kwestie van mixen

Dit vintage topje heb ik gecombineerd met een cargobroek en Marc Jacobs-laarzen (vol krassen, ik heb ze helemaal afgedragen!). De cargobroek contrasteert met het feestelijke topje, waardoor de look wat praktischer wordt. Daarbij een tas die ik ontworpen heb voor Coach en wat sprankelende vintage sieraden – de strass armband is eigenlijk een ketting die twee keer om mijn arm zit.

Motown mojo

De dames van de Motown muziek zijn voor mij een grote inspiratiebron. Die bij elkaar passende glitterjurken zijn echt ongelooflijk chic. Je zou met hun outfits zo het Ritz binnenstappen, maar door die superverzorgde, over-de-top look krijg ik ook de inspiratie en de moed om veel glitter te verwerken in mijn dagelijkse outfits. Het gaat er tenslotte om dat je zelf blij wordt van je kleding, niet anderen.

Soms is een basic kledingstuk helemaal niet zo basic – als het bedekt is met goudkleurige glittersteentjes bijvoorbeeld! Ik draag eigenlijk bijna altijd wel iets wat glittert, ook al woon ik in een wijk waar iedereen gympen en T-shirts draagt. De look die ik hier laat zien is geïnspireerd door de voorjaarscollectie van 2009 van Ralph Lauren. Ik vond het prachtig dat de meeste modellen eruitzagen alsof ze zo van safari kwamen, en toch honderd procent modern en elegant waren.

dromen over Marokko

Ik droom erover dat ik in deze outfit door de straatjes van Marokko slenter. Voor mij is Tanger het toppunt van romantiek, met die booggalerijen en het uitzicht over de zee. De kleuren van deze outfit passen daar precies bij!

ROCK-SHIRT REMIX

Je hoeft het T-shirt van je favoriete band echt niet alleen op hun concert te dragen. Je verzamelt deze schatten al jaren en ook al zijn ze een beetje versleten, je kunt ze prima gebruiken om te laten zien wat jouw muzieksmaak is, en om je look grappig en speels te maken. Kies glam rock voor als je sexy uit wilt gaan, met een lief rokje tijdens een date, of met onopvallende laagjes bij het boodschappen doen.

Charlene O'Rourke | s.t.r.u.t.t.
Londen, Verenigd Koninkrijk

metal maiden
"Dit shirt van Slayer was van mijn vriendje, maar kwam tussen mijn spullen. Ik wilde er wel verzorgd uitzien, dus ik heb het shirt gecombineerd met glamour haar en make-up, kousen en schoenen."

z Cherkasova | Late Afternoon
n Francisco, Verenigde Staten

rock 'n' roll ballerina
"Ik wilde het Pink Floyd T-shirt van mijn vriendje in
een look verwerken. Het vormt een mooi contrast met
mijn rokje en de strikken op mijn schoenen – geweldig,
dat mannelijke en vrouwelijke naast elkaar."

Jasna Zellerhoff | Fashion Jazz
Kaapstad, Zuid-Afrika

levendige laagjes
"Dit Bon Jovi T-shirt is van mijn vader; hij is een
enorme fan. Ik vind het leuk om kledingstukken
anders te gebruiken dan de bedoeling is, zoals mijn
scheef geknoopte vest met een smokingjasje."

SWEATERS
welke kies jij?

twinset
Twee laagjes die bij elkaar horen! Kies er wat minder keurige accessoires bij.

vest
Al die modellen met knoopjes aan de voorkant geven eindeloze mogelijkheden.

lang vest
Ook leuk als jas wanneer het kil is buiten. Kan in de winter onder een jas.

kort vestje
Kies voor opvallende kleuren of structuren die te veel zijn voor een groter kledingstuk.

open voorkant
Dit vest kun je dragen met een riem of lekker los laten hangen.

watervaleffect
De schuine voorpanden vallen in laagjes. Combineer dit vest met een eenvoudig T-shirt.

spencer
Een gebreide spencer geeft kantoorkleding een sexy uitstraling.

sjaal
Een vastgenaaide sjaal in het hetzelfde materiaal is levendig maar niet te druk.

bolero
Dit model bedekt alleen de bovenarm en de bovenkant van de rug. Cute!

cape
Het golvende extra laagje rond de halslijn geeft volume als je smal bent.

sjaalkraag
Wijde hals met opgerolde revers: casual en prima voor bij het haardvuur!

hangende col
Legt de nadruk op de jukbeenderen en valt mooi over volle borsten.

hoodie
Met zachte capuchon. In een mooie stof wordt deze vrijetijdsdracht weer stijlvol.

rits
Sportief model dat toch wat chiquer is dan een sweater in het weekend.

off the shoulder
Flirterig topje dat goed staat als je volle borsten hebt.

geplooid
Door de plooien – die je borsten groter laten lijken – een mooi model.

vleermuismouwen
De armsgaten lopen haast tot aan je middel en de stof valt ruim over je armen.

klokmouwen
Mouwen die wijd uitlopen. Geven balans bij grote borsten of stevige bovenarmen.

trui
Met een ronde of een v-hals; onmisbaar in je garderobe.

boyfriend
Draag deze sweater met een gebreide sjaal voor een jongensachtige uitstraling.

ruim
Combineer dit ruimvallende shirt met een skinny broek voor het contrast.

visserstrui
Een traditionele, gebreide trui van zuiver wol met ingebreid motief.

punten
De ongelijke zoom maakt een eenvoudige look vlotter. Mooi bij een lang bovenlichaam.

tailleband
Bloezend effect door de elastische band – ideaal om een buikje te verbergen.

pin-up
Aansluitend shirt met korte mouwen. Een knipoog naar de flirterige fifties.

gekruist
De soepel vallende stof is gekruist en daarna vastgenaaid. Heel artistiek.

ruime col
Dit is de col in de overtreffende trap! Richt de aandacht op het gezicht.

rolboord
Een relaxte outdoorlook met uiteinden die oprollen in plaats van gladde boorden.

col
Een hoge kraag die omgerold wordt. Maakt je langer als je klein bent.

rechtopstaand
Korte boord die niet wordt omgevouwen. Staat leuk bij een rond, breed gezicht.

bisschopsmouwen
De mouw heeft elastiek aan de onderkant, zodat hij opbolt.

dolmanmouwen
Ruime armsgaten tot aan de onderarm, die een driehoek vormen.

lange pofmouwen
Wijde mouwen vanaf de schouders tot aan de elleboog met poffend effect.

"Als ik dit vintage truitje draag, voel ik me alsof ik terug ben in de tijd dat je domino kon spelen voor de kachel, met op de achtergrond je favoriete plaat op een platenspeler, en gewoon gelukkig kon zijn."

Whitney Williams | A la Ladywolf
Jonesborough, Verenigde Staten

VESTEN REMIX

Je oude grijze vest hoeft echt niet saai te zijn. Het is gewoon een kwestie van stylen en accessoires gebruiken! Een vrolijke broche of een opvallende riem – je ontdekt snel genoeg hoe je je vest kunt combineren met leuke extraatjes die je al hebt.
Van saai naar sassy!

laagjes
Draag een paar vestjes over elkaar, dat ziet er superchic uit.

omslag met een broche
Voor mooie rondingen: sla de panden over elkaar en maak ze vast met één of twee broches.

gedraaid als sjaal
Gebruik de mouwen om het vest mooi om je hals te draperen. Vastzetten met een speld.

vest

Een vest zorgt voor samenhang in je outfit en is onmisbaar als je laagjes wilt maken. Het kan geen kwaad om er een heleboel te hebben: korte en lange, felle en neutrale, strakke en wijde. Een vest zorgt dat je warm blijft en maakt je look helemaal af.

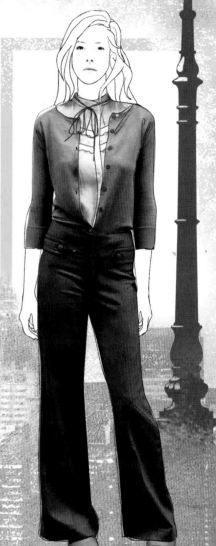

achterstevoren met riem
Onverwacht: draag je vest achterstevoren. Met een ketting is de voorkant minder saai.

open met riem
Met een riem lijkt je taille slanker en zie je er trendy uit. Heel geschikt voor naar kantoor.

open en ingestopt
Je ziet er gelikt uit met een vintage topje onder je vest, die je allebei in je broek stopt.

GRAPPIGE GRUNGE

Adeline Rapon | Parijs, Frankrijk

Slobbertruien zijn voor mij onmisbaar in de winter; ik vind het gewoon leuk dat ze zo groot en ruim zijn. Toch wil ik er natuurlijk leuk genoeg uitzien, en daarom heb ik zo'n trui hier gecombineerd met een korte broek en een strakke wollen legging, om mijn benen te laten zien. Als ik de foto bekijk, zie ik dat ik me toen geweldig voelde. In zo'n outfit ga je buiten lol maken in de sneeuw met een goede vriend.

Palais de Tokyo

Het was ijzig koud toen ik dit aan-had, maar ik vond thuisblijven saai. In Parijs kun je altijd wel naar een museum of expositie. Op deze dag ging ik met een vriend naar het Palais de Tokyo, een museum waar vaak aparte happenings zijn en dat 's avonds lang openblijft. Ik had deze tas mee, die volgens mij wel een soort kunst is – een vriendin van mijn vriend heeft hem ontworpen, met allemaal foto's van mensen die rare bekken trekken.

laissez-faire-mode

Ik draag hier twee grofgebreide
truien over elkaar, allebei van de
Gap. De sokken en schoenen
passen qua kleur bij de truien,
maar dat heb ik niet eens met
opzet gedaan. Als er sneeuw
ligt, móet ik Doc Martens
aan, anders bevriezen mijn
voeten en glij ik de hele
tijd uit. De sleutel die ik
draag, is van een kamer
in mijn huis, maar ik
weet niet meer van
welke; daarom draag
ik hem zo, dan heeft-ie
meer nut. En ik ben
dol op deze gebreide
muts – zo lijk ik net
een kaboutertje.

back to the nineties

Ik noem deze look *lutin des
neiges* (sneeuwkabouter)
omdat hij eigengereid en
stoer is. Ik was geïnspi-
reerd door grunge artiesten
zoals Kurt Cobain, en door
de mode uit de nineties.
Eigenlijk is alles aan deze
look mannelijk: de Docs, de
grove trui en zelfs de tas.

Lutin des neiges

JASSEN – DE BASICS

Als je een jas koopt, is het niet handig om een heel trendy model te nemen of om een opvallende stijl te kiezen die helemaal in is. Een mooie jas kan duur zijn, maar als je er eentje koopt in een stijl die lang meegaat, met een model dat je goed staat en een kleur die bij je andere kleren past, dan zul je er winter na winter verliefd op zijn.

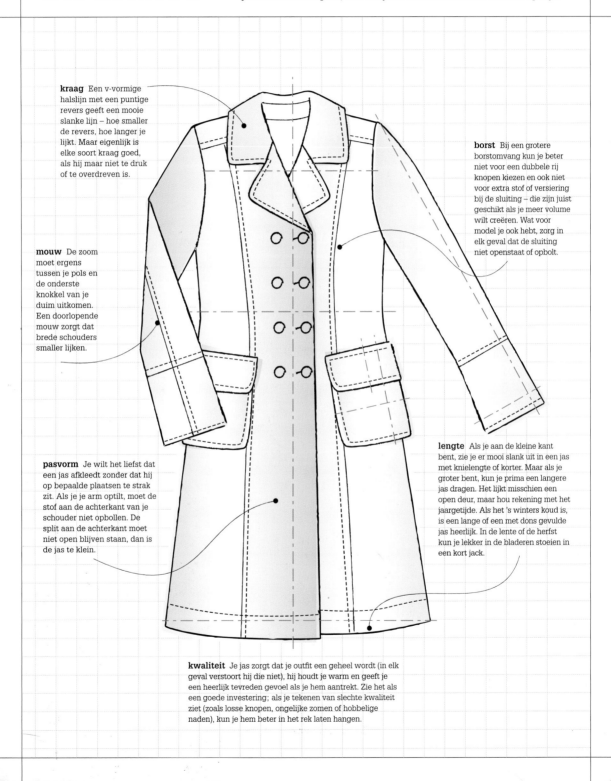

kraag Een v-vormige halslijn met een puntige revers geeft een mooie slanke lijn – hoe smaller de revers, hoe langer je lijkt. Maar eigenlijk is elke soort kraag goed, als hij maar niet te druk of te overdreven is.

borst Bij een grotere borstomvang kun je beter niet voor een dubbele rij knopen kiezen en ook niet voor extra stof of versiering bij de sluiting – die zijn juist geschikt als je meer volume wilt creëren. Wat voor model je ook hebt, zorg in elk geval dat de sluiting niet openstaat of opbolt.

mouw De zoom moet ergens tussen je pols en de onderste knokkel van je duim uitkomen. Een doorlopende mouw zorgt dat brede schouders smaller lijken.

pasvorm Je wilt het liefst dat een jas afkleedt zonder dat hij op bepaalde plaatsen te strak zit. Als je je arm optilt, moet de stof aan de achterkant van je schouder niet opbollen. De split aan de achterkant moet niet open blijven staan, dan is de jas te klein.

lengte Als je aan de kleine kant bent, zie je er mooi slank uit in een jas met knielengte of korter. Maar als je groter bent, kun je prima een langere jas dragen. Het lijkt misschien een open deur, maar hou rekening met het jaargetijde. Als het 's winters koud is, is een lange of een met dons gevulde jas heerlijk. In de lente of de herfst kun je lekker in de bladeren stoeien in een kort jack.

kwaliteit Je jas zorgt dat je outfit een geheel wordt (in elk geval verstoort hij die niet), hij houdt je warm en geeft je een heerlijk tevreden gevoel als je hem aantrekt. Zie het als een goede investering; als je tekenen van slechte kwaliteit ziet (zoals losse knopen, ongelijke zomen of hobbelige naden), kun je hem beter in het rek laten hangen.

parelmoer
Voor extra glans: deze knoop licht subtiel op met iriserende kleuren.

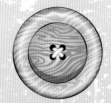

hout
Door de natuurlijke kleur en structuur heeft deze knoop een aardse uitstraling.

matroos
Vaak gebruikt om een nautische uitstraling te geven. Van koper of plastic.

militair
Deze metalen knopen met symbolen zijn erg geschikt voor een dubbele rij.

jasknopen
Als je de knopen op je jas niet mooi vindt, koop dan een paar andere en zet die erop. Je kunt knopen ook aan je sieraden of andere kleine dingen bevestigen, om die persoonlijker te maken.

gevlochten leer
De gevlochten leren stroken geven de knoop een mooie vorm en uitstraling.

stof
Chique knoop, die gemaakt is van dezelfde stof als van de jas die hij bij elkaar houdt.

uitgesneden
Een uitgesneden patroon is heel vintage, vooral op opvallende, grote knopen.

Chinees
Deze Chinese sluiting is gemaakt van zijden lint of koord.

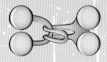

haak en oog
Voor een korset of een jas: deze sluiting is altijd klein maar sexy.

houtje-touwtje
Nonchalant chic! Van hout, touw of leer. Ook met handschoenen makkelijk te openen.

Ebba Zingmark | Ebba Foton | Umea, Zweden

JASJES

welke kies jij?

gilet
Met krijtstreep of gestippeld, altijd leuk. Trekt de aandacht naar de borst.

bodywarmer
Mouwloze jas: heel handig over een trui als het te warm is voor een echte jas.

cape
Voor een mooi silhouet. Als de cape te wijd is, kun je hem met een riem dragen.

schuine rits
Vaak in leer: sexy en warm. De schuine rits zorgt voor een dynamische lijn.

bomberjack
Geïnspireerd op de jacks van gevechtspiloten. Van leer, met gebreide boord.

spijkerjack
Recht model tot op de heupen. Romantisch in combinatie met een wijde jurk.

safari
Tegendraads cultuursymbool uit de sixties. Draag hem open over strakke kleding.

survival
Met veel jaszakken, capuchon en warme voering (die je er soms uit kunt halen).

paardrijstijl
Slank model met vaak leren details. Geschikt voor kantoor, dus niet alleen voor op stal.

kort en getailleerd
Vlot model door de brede revers en de taille. Mooi in fluweel of licht krijtstreepje.

zomerblazer
Als het buiten warm is, zie je er toch verzorgd uit in dit model met korte mouwen.

dubbele knopen
Draag deze lange, jongensachtige blazer op een gebloemde jurk.

één knoop
Doordat deze blazer met één knoop wordt gesloten, krijg je een slank model.

drie knopen
Een blazer met drie knopen is vaak korter en hoekiger en heeft een casual uitstraling.

blero
rt jasje dat
r vooral bij
elegenheden
gedragen.

fanfare
Met ronde voor-
panden, driekwart
mouwen en versier-
sels langs de randen.

kort en strak
Valt boven de heupen
en accentueert je mid-
del. Combineer met
broek met hoge taille.

bedjasje
Je kunt retro lingerie
prima combineren
met jeans
of laarzen.

korte cape
Valt over de armen
en heeft een voor-
sluiting. Geschikt
voor frisse avonden.

zonder kraag
Deze minimalistische
vorm leidt de aandacht
niet af van een klein
gezicht of fijne trekken.

gewatteerd
Vaak een vierkante
vorm. Twee lagen
met daartussen een
warme donslaag.

blouson
De elastische boord
zit strak om je taille.
Zorgt voor een zand-
loperfiguur.

koordjes
De oversized capu-
chon en andere
details geven deze
look persoonlijkheid.

wijd
opend jasje
ekwart mou-
eft een eigen-
uitstraling.

loshangend
Elegante, loshangen-
de stof in plaats van
een kraag. Heel mooi
in soepel leer!

windjack
Licht van gewicht en
waterdicht, voor in de
regen of tijdens het
sporten.

trainingsjack
Met rechtopstaande
kraag en meestal met
contrasterende stre-
pen op de mouwen.

afgestemd op het landschap
Deze mosterdkleurige zijden sjaal is een van mijn
meest veelzijdige accessoires. Hier heb ik er een
strik van gemaakt en hem onder mijn kraag
gedaan, zodat het past bij de speelse en
charmante look. Ik vind het leuk om te zien
hoe mooi de kleuren bij de omgeving passen, net als de roodbruine tinten van de
tas, de riem en de klompen.

do it yourself

Keurig en ke
in the ou

Autilia Antonuc

Ik had dit aan toen ik op bezoek v
ouders in noordwest Australië. D
(geleend van mijn zus) heb ik ge
met de paisley-sjaal en parels, en
afgemaakt met marinestreepjes,
en een strohoed, waardoor ik er z
schoolmeisje als een sportieve o
uitzie. Daarna zijn we foto's gaar

les scènes du cinéma

Ik ben dol op oude films en misschien heb ik onbewust bij het creëren van deze look gedacht aan scènes uit *Roman Holiday*. In deze outfit heb ik het gevoel dat ik zo in de schoenen van Audrey Hepburn kan stappen en op een scootertje door Rome kan crossen. De lichte tinten, het kant en de uniformachtige kledingstukken doen me ook denken aan de vrouwelijke, maar stoere kostuums in *Picnic at Hanging Rock,* een film uit 1975 over Australische schoolmeisjes die verdwijnen na een ontdekkingstocht bij een rotsformatie in de wildernis. (Mijn zus en ik zijn overigens veilig teruggekomen van onze wandeling.)

traditioneel versus trendy

Mode is veel interessanter als je de grenzen opzoekt. In deze outfit heb ik spannende trends gecombineerd met standaardelementen. Zo'n korte blazer is bijvoorbeeld heel erg van nu, maar parels en kant zijn van alle tijden. Sandalen in combinatie met sokken zijn nu trendy (al zullen sommige mensen bij deze look meteen moeten denken aan hun opa die op een bankje in de tuin zit!), maar streepjes doen het altijd wel. Als het allemaal maar in balans is.

CAPE
REMIX

Voor superheld spelen of melo-dramatisch naar het theater, met een cape kan het allemaal. Een cape weegt niet veel, maar bedekt je wel voor een groot deel en is daardoor heel geschikt voor het voor- en najaar. Draag je cape dichtgeslagen op een zwarte harem-broek, zodat hij extra opvalt; sla hem nonchalant om als je stoere kleding draagt, voor instant elegantie; of com-bineer hem met een strakke short voor een grappige, brutale look.

Nadia Sarwar | Frou Frouu
Londen, Verenigd Koninkrijk

wegduiken voor de regen
"Het regende verschrikkelijk die dag. Daarom sloeg ik mijn cape om, zodat hij alle aandacht trok. Door de harembroek en de sandalen met sokken eronder, ziet de look er modern en origineel uit."

Sandra Hagelstam | 5 Inch and Up
Londen, Verenigd Koninkrijk

de beste van de klas
"Dit is een casual outfit op weg naar de universiteit – ik heb de cape om bij een jeans (geïnspireerd op motorbroeken) en een wijde blouse. Ik wilde verschillende tinten beige dragen omdat het voorjaar was."

Giselle Chapman | Style of a Fashionista
Guildford, Verenigd Koninkrijk

lang en kort
"Ik was helemaal weg van het oversized-cape-met-shorts-idee. Dit was een geweldige lente-look; ik droeg hem op een warme voorjaarsdag toen ik ging shoppen en lunchen met vrienden."

JASSEN
welke kies jij?

auto
Een jas tot halver-
wege je dijen. Zijden
sjaal erbij: klaar voor
een autoritje!

wandeling
Tot aan de knie.
De altijd bruikbare
A-lijn past bij iedere
outfit.

koker
De moderne rechtop-
staande kraag helpt
tegen de wind – zo heb
je geen sjaal nodig.

wikkel
Dit model wikkel je
om je heen. De riem
benadrukt je middel
op een mooie manier.

verfijnd
Heel geschikt om
een chique outfit af
te maken. Liefst in
zijde of fluweel.

parade
Jaren 30 stijl, heel
vrouwelijk model. Kan
buikje of brede heu-
pen goed verhullen.

bont
Geeft een luxe touch
aan iets eenvoudigs,
zoals jeans. Ga voor
vintage of nepbont.

camel
Een statige goud-
bruine jas die van
oudsher van kamelen-
haar wordt gemaakt.

schapenvacht
Kortgeschoren lams-
of schapenvacht, ver-
werkt tot een warm,
luxe kledingstuk.

parka
Vaak met bontrandje
langs capuchon; valt
tot op de dij als be-
scherming tegen kou.

duffelse jas
Comfortabel model
van wol, met capu-
chon, houtje-touwtje
en grote zakken.

dons
De ruimte tussen de
lagen stof is opge-
vuld met dons, voor
optimale warmte.

ski-jack
Isolerend materiaal,
bestand tegen sneeuw
en ijs. Met bescherm-
flap over de rits.

overjas
Lange, chique jas.
Staat mooi als je lang
bent; probeer eens
een opvallende kleur.

marinejas
Op basis van matrozen-outfit: dubbele rij knopen en een brede, puntige revers.

asymmetrisch
De sluiting opzij van het midden leidt de aandacht af als je een stevig figuur hebt.

rokjas
Een hippe en leuke stijl die is gestolen van de smokings voor mannen.

militair
Met details zoals epauletten past deze stoere stijl het best bij een strak silhouet.

gebreid
Een soort opgevijzeld vest van dikke, gebreide wol. Behaaglijk en warm.

cocon
Een heerlijk behaaglijk wijd model, dat je omhult met warmte.

poncho
Een kleed voor je lichaam, met een gat voor je hoofd. Mooi met een strakke broek.

lange cape
Komt tot de grond, met voorsluiting. Geeft een sprookjes-achtige uitstraling.

dik en wollig
Oversized jas, gemaakt van dikke, geweven wol, vaak met een patroon.

trenchcoat
Stijlvol voor druilerige dagen. Met regenflappen en riem met D-gesp.

koord
Als je het koord aan de onderkant iets aantrekt, krijgt deze wijde jas meer vorm.

lange regenjas
Gemaakt van speciaal gecoat materiaal dat de regen tegenhoudt.

waxjas
Lange, waterdichte jas met split achter, voor op het paard (of op de scooter!).

Alice Point | Krakow, Polen

heerlijke chaos

Er gebeurt veel bij deze look, en daar hou ik van – het gaat om de balans tussen de kleuren en de vormen. Het heldere blauw en oranje van de jas springt naar voren tegen de felle print van de jurk; de handschoenen plus de halsketting hebben hetzelfde zwart-met-goud-thema. De vormen in de sieraden en de kleding concurreren met elkaar – kijk maar naar de puntige vormen in de bontkraag en de studs op de handschoenen, en de wilde vormen van de bloemen. Samen zorgen ze voor een glamourachtige, ruige look. Zo doe ik dat!

do it yourself
ZE DROEG BLAUW FLUWEE

Kelly Framel | The Glamourai | Brooklyn, Verenigde Staten

Ik draag geen outfits, ik draag kostuums. Voor mij is iedere dag een kans om iets decadents te dragen, maar het is nooit over-de-top. Deze look heb ik gecreëerd rond een grote, blauwe vintage jas, die ik heb gepimpt met bont en andere versiersels. De klassieke saaie uitstraling heb ik gecompenseerd met ruige accessoires.

DIY expert

Ik kwam dit wonder in kobaltblauwe velours tegen in een vintagewinkel in Pittsburgh en ik móést hem hebben! Hij had alleen een beetje extra glamour nodig. Voor de manchetten heb ik een oude riem die ik op eBay heb gekocht, in stukken gesneden. De rode vossenkraag maakt hem helemaal af (het resultaat van een midder-nachtelijke eBay-sessie). Als accessoires heb ik oversized gouden studs vastgemaakt op hand-schoenen zonder vingers, uit een motorshop. De halsketting heb ik zelf ontworpen en gemaakt.

1 Neem jezelf en je outfit niet te serieus
2 Neem een kijkje in het dierenrijk
3 En ook in de kerk
4 Reis over de wereld
5 Zoek het hoog en laag
6 Leeftijd doet er niet toe
7 Laat ze maar staren

Excentriek in Palm Beach

Ik kleed me graag als een half gestoorde grootmoeder die vastzit in het lichaam van een jonge vrouw. Daarom is mode-icoon Iris Apfel mijn grote voorbeeld. Ze heeft een onnavolgbare stijl en gaat vrolijk voorbij aan alle opvattingen over wat modieus is. Ik maak voortdurend gebruik van haar grillige gevoel voor stijl, maar ben wel zo dat ik het moderner maak: sexy zwarte kousen, extreem hoge hakken, ruige handschoenen met studs en een boblijn met laagjes.

"Als ik een outfit samenstel die is geïnspireerd op **mannenkleding,** doe ik er uiteindelijk altijd weer iets **romantisch** bij. Deze combinatie van een overhemd, trenchcoat en laarzen was zo **tomboy** dat ik een lintje in mijn haar heb gedaan om het beter bij mezelf te laten passen."

Rhiannon Leifheit | Liebemarlene Vintage | Atlanta, Verenigde Staten

makkelijke mode

TRENCHCOATS

Een tijdloos, praktisch kledingstuk, dat ook nog weatherproof is. Een must in je garderobe! Als je hem gebruikt als wikkeljurk is hij modern en elegant, en als je hem openlaat en alleen vastmaakt met een riem zie je nog net een stukje blauw erdoorheen. Of draag hem in laagjes met een felle legging en oversized vest voor een warme look met veel volume.

June Paski
Bandung, Indonesië

Alice Point
Krakow, Polen

Meijia Shao | Fashion Is My Life
Shanghai, China

Liz Cherkasova | Late Afternoon
San Francisco, Verenigde Staten

Golestaneh Koochak Poor | Golestaneh Street Style
Keulen, Duitsland

Karla Deras | Karla's Closet
Simi Valley, Verenigde Staten

BROEKEN & ROKKEN

BROEKEN – DE BASICS

Katherine Hepburn straalde in de jaren 30 een nonchalante elegantie uit in haar prachtige, op de mannenmode geïnspireerde broeken. Als je weet waar je op moet letten, kun je hetzelfde superchique model vinden. Voordat je gaat passen, moet je je eigen taille- en lengtematen weten. Neem verschillende maten mee naar het pashokje; ze kunnen bij iedere ontwerper anders vallen.

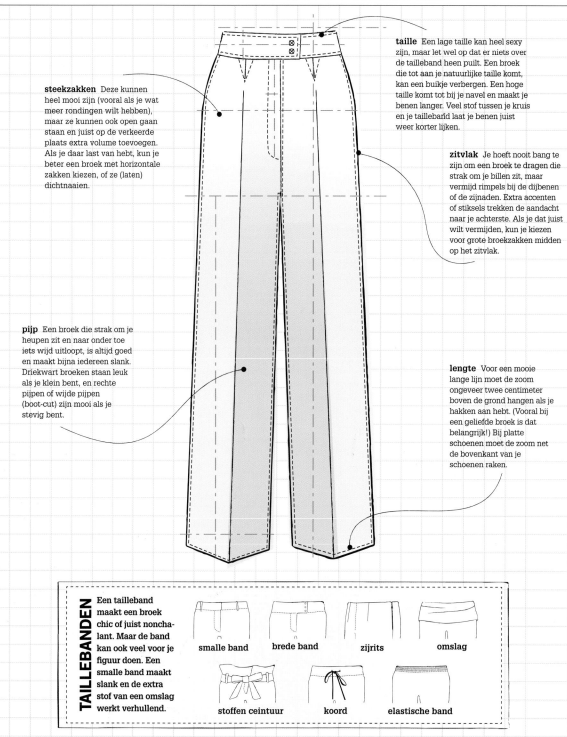

steekzakken Deze kunnen heel mooi zijn (vooral als je wat meer rondingen wilt hebben), maar ze kunnen ook open gaan staan en juist op de verkeerde plaats extra volume toevoegen. Als je daar last van hebt, kun je beter een broek met horizontale zakken kiezen, of ze (laten) dichtnaaien.

taille Een lage taille kan heel sexy zijn, maar let wel op dat er niets over de tailleband heen puilt. Een broek die tot aan je natuurlijke taille komt, kan een buikje verbergen. Een hoge taille komt tot bij je navel en maakt je benen langer. Veel stof tussen je kruis en je tailleband laat je benen juist weer korter lijken.

zitvlak Je hoeft nooit bang te zijn om een broek te dragen die strak om je billen zit, maar vermijd rimpels bij de dijbenen of de zijnaden. Extra accenten of stiksels trekken de aandacht naar je achterste. Als je dat juist wilt vermijden, kun je kiezen voor grote broekzakken midden op het zitvlak.

pijp Een broek die strak om je heupen zit en naar onder toe iets wijd uitloopt, is altijd goed en maakt bijna iedereen slank. Driekwart broeken staan leuk als je klein bent, en rechte pijpen of wijde pijpen (boot-cut) zijn mooi als je stevig bent.

lengte Voor een mooie lange lijn moet de zoom ongeveer twee centimeter boven de grond hangen als je hakken aan hebt. (Vooral bij een geliefde broek is dat belangrijk!) Bij platte schoenen moet de zoom net de bovenkant van je schoenen raken.

TAILLEBANDEN

Een tailleband maakt een broek chic of juist nonchalant. Maar de band kan ook veel voor je figuur doen. Een smalle band maakt slank en de extra stof van een omslag werkt verhullend.

smalle band   brede band   zijrits   omslag

stoffen ceintuur   koord   elastische band

cargo
Hier past meer in dan in de normale broekzak. Daardoor wel fors.

broeklengte
Alles is mogelijk: van gewaagd kort, tot charmant tot op de grond. In het algemeen is het mooi als de zoom eindigt bij een mooi gevormd deel van je been (dat daardoor benadrukt wordt).

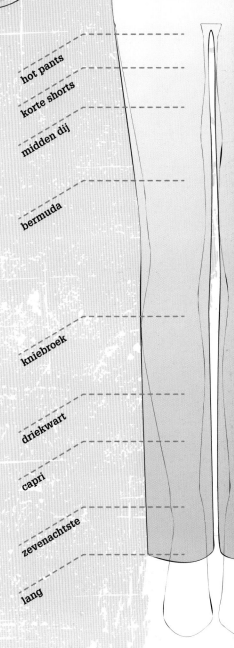

hot pants

korte shorts

midden dij

bermuda

kniebroek

driekwart

capri

zevenachtste

lang

steekzak opzij
Een zak die in de zijnaad gezet is. Onopvallend, maar weinig bergruimte.

steekzak
Vormt een schuine lijn naar de zijkant. Kan gaan open-staan als je buik niet zo plat is.

ronde steekzak
Fraaie, vlakke zak op de voorkant van een casual broek. Blijft niet openstaan.

money pocket
Klein accentje, meestal bij jeans. Van oudsher voor kleingeld of zakhorloges.

opgenaaid
Aan de buiten-kant op de stof genaaid. Allerlei vormen en formaten.

klepzak
Opgenaaide zak met afsluitbare klep. Geeft wat extra volume aan kleine billen.

strookzak
Twee smalle stro-ken geven toe-gang tot de zak. De stroken zijn soms van afwij-kend materiaal.

rits
Een ritszak gaat nooit openstaan, waardoor de stof mooi glad ligt.

BROEKEN
welke kies jij?

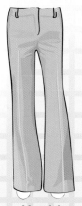

klassiek
Basic voor kantoor. Komt tot aan de taille; vouw aan de voorkant geeft mooie lange lijn.

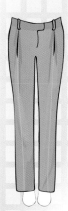

bandplooi
Past elk figuur. Geeft extra ruimte, maar de plooien liggen vlak als je rechtop staat.

opgerold
Geeft speels effect; staat leuk als je smal gebouwd bent. Combineer met hakken.

yoga
Ideaal voor tijdens het sporten. Meestal van stretchstof. Ook ge-spot als casual broek.

sjerp
De stoffen band die geknoopt kan worden, geeft de broek een vrouwelijk extraatje.

palazzo
Hele wijde broek; verhult stevige dijbenen. Draag hem met een strak topje.

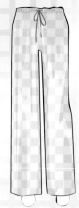

pyjama
Kies een sexy, zijde-achtige versie en draag hem met san-dalen met hakken.

gaucho
De Spaanse versie van de capribroek loopt wijd uit. Mooi met hoge laarzen.

capri
Comfortabele broek; werd populair in de jaren 50. Tot halver-wege de kuit.

pofbroek
Soepele, wijde broek; de bandjes rond de enkels geven een poffend effect.

chique
Elegante broek van dunne stof als zijde. Valt mooi, ook als je figuur wat voller is.

wortelbroek
Wijd bij de heupen en naar onderen toe smaller. Geeft model aan smalle heupen.

harem
Bij dit oosterse model hangt het kruis laag. Mooi met strak topje.

parachute
Taps toelopende broek die is gemaakt van parachutestof, met veel ritsen.

rijbroek
Met suède of leer aan de binnenkant van de knie zodat je stevig in het zadel zit.

mannenbroek
Wijd, mannelijk model, vaak met omslagen en plooien.

chino
Hippe broek van soepel katoen. Meestal met rechte pijpen en lage tailleband.

zeeman
De hoge taille en wijde pijpen zorgen voor een mooie lijn. De flap sluit met knopen.

Zanita Whittington | Sydney, Australië

kniebroek
Van oudsher gedragen door wielrenners. Geeft veel bewegingsvrijheid.

cargo
Superhandige broek met veel grote zakken. Er zijn ook strakkere versies van.

jodhpur
Loopt wijd uit naar de knie en is daaronder strak. Eigenlijk een cavaleriebroek.

sigaretbroek
Strakke, rechte broek tot aan de enkel. Is wat chiquer dan een skinny jeans.

legging
Is begonnen als lange onderbroek bij koud weer. Staat super bij jurk of tuniek.

voetbandjes
Elastische broek, die niet opkruipt door de elastieken bandjes onder de voet.

bretels
Jongensachtige broek met afneembare bretels in bijpassende óf contrasterende kleur.

jumpsuit
Gezien bij parachutisten. Mooi als je een vrouwelijk figuur hebt.

catsuit
Bestaat uit één stuk. Dit gewaagde item geeft een katachtige uitstraling.

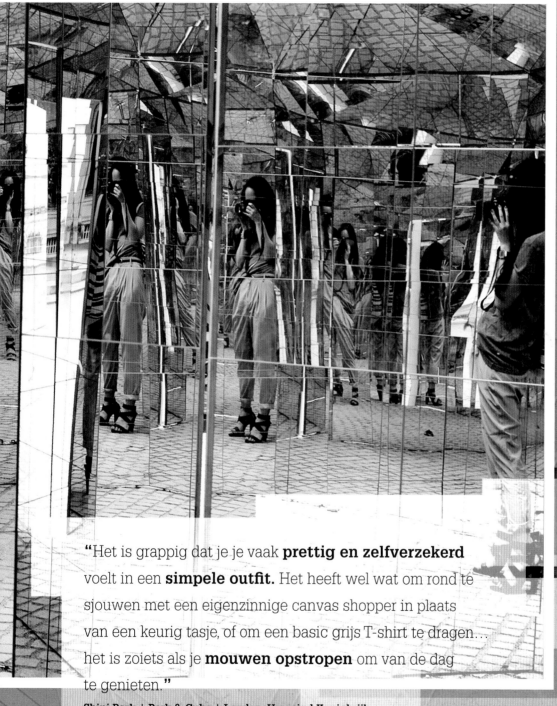

"Het is grappig dat je je vaak **prettig en zelfverzekerd**
voelt in een **simpele outfit.** Het heeft wel wat om rond te
sjouwen met een eigenzinnige canvas shopper in plaats
van een keurig tasje, of om een basic grijs T-shirt te dragen…
het is zoiets als je **mouwen opstropen** om van de dag
te genieten."

Shini Park | Park & Cube | Londen, Verenigd Koninkrijk

CAPRI REMIX

Hoe laat je deze leuke, iets kortere broek nou echt rocken? Gewoon durven! Kies voor een felle kleur en creëer een look met lange lijnen en stoffen met structuur, patronen of kleine kleuraccenten, die de aandacht naar boven trekken. Een tuniek met een riem, het shirt in de broek gestopt om je rondingen te accentueren, of met een hoge taille, zoals de pin-ups in de fifties.

Karla Deras | Karla's Closet
Simi Valley, Verenigde Staten

lekker makkelijk

"Ik heb een riem om mijn jasje met vilten stippen gedaan. Ook koos ik funky enkellaarsjes en een retro zonnebril. De armband met vierkante kristallen kreeg ik van mijn vriendje. Stoer en elegant!"

vrouwelijk kantje
"Deze outfit is heel meisjesachtig met die vintage parelketting en het kanten topje in combinatie met slingbacks. Heel geschikt om te gaan shoppen met vrienden!"

hoge taille
"Deze look is prima als je de stad ingaat. Ik heb een zijden mannenoverhemd vastgeknoopt en draag dat met een custom-fit Levi's spijkerjack, een grote tas en platformsandalen."

do it yourself

Een wolk van een broek

Shini Park | Park & Cube
Londen, Verenigd Koninkrijk

Ik werd verliefd op deze bandplooi-
broek van Vero Moda vanwege
het patroon. Dat deed me denken
aan een pastelkleurige lucht met
wolken tijdens de ochtendscheme-
ring. Ik heb hem gecombineerd met
pastelkleurig kant en grofgebreide
items. Het voelde de hele dag alsof
ik mijn pyjama
nog aan had!

creatieve geest

Op de dag dat ik deze outfit droeg, ging ik naar een tentoonstelling waar de ruimtes zelf het schetsboek waren, van papieren mobiles en collages tot muurschilderingen. Ik ben een designer en voel me erg aangetrokken door creatieve ruimtes en projecten. Een deel van de reden waarom ik deze broek zo mooi vind, is dat hij me doet denken aan een DIY-project van een paar maanden geleden, toen ik een panty heb gebleekt en versierd met pareltjes.

vol inspiratie

Het mooie aan deze peg-leg broek is dat hij lekker om mijn taille zit, en ruim om mijn benen. Ik denk dat ik de vorm van een ijshoorntje probeerde te imiteren met deze outfit, daarom heb ik bovenaan die grote wollen sjaal gebruikt en onderaan smalle koekkleurige sleehakken.

een dagje Brighton Beach

Deze outfit is eigenlijk verzonnen door het kind in mij. Kijk maar naar die vlechten en de pastelkleurtjes. Met die clown zo achter me krijgt het een soort kermis-aan-zee-sfeertje, alsof ik bij Brighton Beach ben. Normaal heb ik een irrationele angst voor clowns, maar deze paste precies bij de uitstraling van mijn outfit.

JEANS
welke kies jij?

straight
Het vertrouwde model, dat altijd een relaxte maar toch sexy uitstraling heeft.

boot-cut
Loopt een beetje wijd uit en valt over de schoen. Voor een lange, slanke lijn.

wijde pijpen
Loopt wijd uit en past altijd. Heel geschikt als je stevige bovenbenen hebt.

flare
Strak tot de knie en vanaf daar wijd. Geeft balans als je flinke rondingen hebt.

trouser-style
Heel geschikt voor kantoor door de steekzakken, overslag en plooien.

bell bottom
Strak om de bovenbenen met daaronder een klokkend model. Very seventies!

boyfriend
Ruimzittend recht model, vaak met lage broekband. Leuk als je lang en smal bent.

worker
Geïnspireerd op de werkmansbroek, met details als een hamerlus en extra zakken.

hoge taille
Laat korte benen langer lijken en zorgt voor een vloeiende lijn van je rondingen.

skinny
Zit strak om je hele been, van je heupen tot je enkels. Draag met een wijd topje.

tuinbroek
Een speels en handig model met in lengte verstelbare schouderbanden.

Bewerkte denim

Denim is een katoenen stof die is gemaakt van een indigo draad die door witte draden heen geweven wordt, soms in een mooi schuin patroon en soms ook in een stoere, onregelmatige zigzag. Er zijn allerlei washes en behandelingen waar je uit kunt kiezen – van strak en donker tot soepel en verweerd of zelfs compleet vernield.

classic
Een onbehandelde medium indigo wash, die overal bij past en waar altijd vraag naar is.

stonewash
Het denim gaat met puimsteen in een droger, waardoor de stof een verweerd uiterlijk krijgt.

antique
Denimstof die is vervaardigd op vintage weefgetouwen. Handgemaakte kwaliteit en een unieke structuur.

bio-stonewash
Enzymen vreten de buitenste vezels en kleur weg, waardoor de witte draden die daaronder zitten, zichtbaar worden.

raw
Wordt niet gewassen na het verven. Daardoor is hij eerst donker en vrij stug, maar hij verbleekt door het dragen.

chemisch
Met bleekmiddel wordt een speciale bleke kleur gemaakt. Bij acid wash wordt de stof met in chloor gedrenkte puimsteen in de droger behandeld.

dirty
Bij het 'dirty'-effect worden de witte basisdraden gelig geverfd. Daarna wordt de indigo draad erdoor geweven, maar je blijft het geel ertussendoor zien.

blue jeans forever
DENIM

Een jeans – dat is de broek voor iedereen. Van designbroeken uit trendy boetiekjes tot echte werkmansbroeken; iedereen heeft er wel eentje in zijn kast. Helemaal vol gaten (draag baggy trousers met een riem, of verras met een afgeknipte tuinbroek) of flink gebleekt (probeer maar eens wat een agressief bleek-middel kan doen met je jeans): het is geen wonder dat Yves Saint Laurent wilde dat hij hem had uitgevonden. En hoe vaker je ze draagt, hoe mooier ze worden – dan krijgen ze die verbleekte, veel gedragen uitstraling die maar één ding kan betekenen: echte liefde.

couch potato cutie

"Lekker zorgeloos en comfortabel. Ik wilde een look die superprettig draagt. Ik vind dat zachte roze mooi combineren met de vintage-achtige bandjes op mijn ballerina's en de zelfgemaakte hanger."

big night out

"Als het buiten fris is, trek ik een maillot aan onder mijn favoriete short. De laarsjes met hakken en de opvallende ketting geven het net wat extra's, waardoor deze look er spannend uitziet."

tomboy-stijl...

Net als zo veel andere meisjes ben ik niet zo'n cup-cakes en bloemetjes-type, en daarom gebruik ik graag sportieve accenten. Ik woon zo ongeveer in de kledingkast van mijn vriendje – ik heb altijd zijn shirts aan! Dan laat ik een paar knoopjes openstaan, zodat je een kleurig topje of een stukje kant van mijn beha ziet. En deze gladiator sleehakken zijn stoer en toch sexy, casual en trendy.

...met een vrouwelijk trekje

Met al die mannelijke motieven had deze look wel een paar vrouwelijke accessoires nodig om het wat zachter te maken. De dunne zilveren riem op de stoere short benadrukt de taille en deze armband van Luxirare is supermooi en modern, maar heeft ook een traditioneel Afrikaans tintje. Ik heb het afgemaakt met een vrouwelijke vintage-achtige cateye zonnebril en zilveren ringen.

gebruik basics, maar dan anders

Ik speel graag met structuren – daarmee kun je zelfs de simpelste look iets extra's geven. Daarom ben ik zo gek op deze short: hij is gebreid! De tulband is natuurlijk ook verrassend – ik heb hem voor $ 3,- bij een drogisterij gekocht. Door de laagjes heeft hij meer structuur en is hij exotischer dan een gewone muts.

do it yourself

Laat zien, die benen

Jazzi McGilbert | Jazzi McG
Los Angeles, Verenigde Staten

Het is een flinke tegenstelling: een superkorte short van dikke, gebreide stof. Aangezien ik nogal klein uitgevallen ben – 1.50 m op goede dagen – probeer ik mijn benen lang te laten lijken. Daarom draag ik veel kleding met een hoge taille, waarmee ik langer lijk en die aansluiten bij mijn liefde voor retromode.

"Geweldig, die streepjes in combinatie met deze chique, **tijdloze navy** short. Ik kleed me niet echt voor bepaalde gelegenheden, maar deze look was perfect voor een **zomerdag** buiten in de regen."

Aurélia Scheyé | Fashion Is a Playground | Parijs, Frankrijk

ROKJES – DE BASICS

Het mooie van een goed passend rokje is dat je er alle kanten mee op kunt. Hoe casual je kleding verder ook is, je ziet er vrouwelijker en verzorgder uit dan in jeans. Als je een rok aanpast, let er dan op dat hij niet opkruipt of gaat bobbelen rond je heupen terwijl je loopt, en dat de split zonder problemen opengaat en weer dichtvalt.

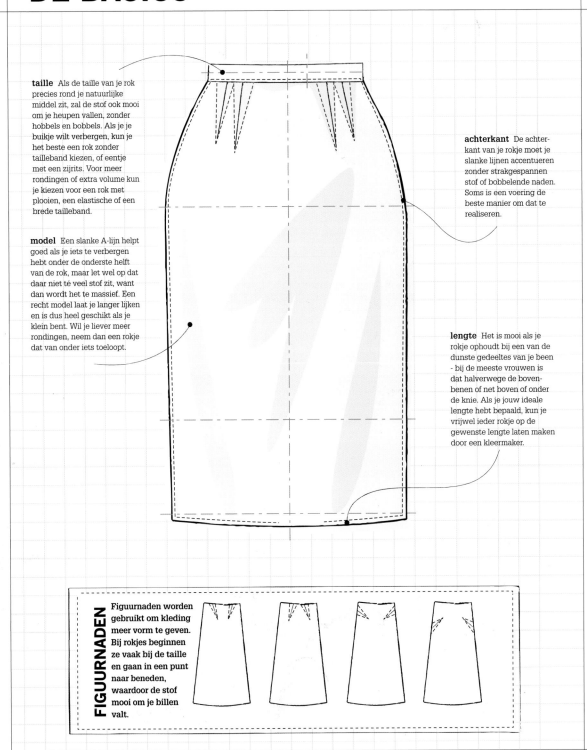

taille Als de taille van je rok precies rond je natuurlijke middel zit, zal de stof ook mooi om je heupen vallen, zonder hobbels en bobbels. Als je je buikje wilt verbergen, kun je het beste een rok zonder tailleband kiezen, of eentje met een zijrits. Voor meer rondingen of extra volume kun je kiezen voor een rok met plooien, een elastische of een brede tailleband.

model Een slanke A-lijn helpt goed als je iets te verbergen hebt onder de onderste helft van de rok, maar let wel op dat daar niet té veel stof zit, want dan wordt het te massief. Een recht model laat je langer lijken en is dus heel geschikt als je klein bent. Wil je liever meer rondingen, neem dan een rokje dat van onder iets toeloopt.

achterkant De achterkant van je rokje moet je slanke lijnen accentueren zonder strakgespannen stof of bobbelende naden. Soms is een voering de beste manier om dat te realiseren.

lengte Het is mooi als je rokje ophoudt bij een van de dunste gedeeltes van je been - bij de meeste vrouwen is dat halverwege de bovenbenen of net boven of onder de knie. Als je jouw ideale lengte hebt bepaald, kun je vrijwel ieder rokje op de gewenste lengte laten maken door een kleermaker.

FIGUURNADEN Figuurnaden worden gebruikt om kleding meer vorm te geven. Bij rokjes beginnen ze vaak bij de taille en gaan in een punt naar beneden, waardoor de stof mooi om je billen valt.

Allerlei plooien

Plooien in een rok bieden je ruimte om te bewegen, geven volume aan je
rokje en bepalen hoe het om je lichaam valt. Plooien maken of iets een
braaf schoolrokje is, een speels sprookjesachtig rokje of een chique
vintage rok.

accordeon
Smalle plooien op gelijke afstand; in het materiaal verankerd. Altijd leuk.

stolp
Twee scherpe plooien
tegenover elkaar zorgen
voor veel volume.

rimpels
De tailleband wordt aan de
gerimpelde stof genaaid.
Geeft volume aan de heupen.

gesmokt
Smalle plooien die in een
leuk patroon worden
vastgezet.

enkel
Deze enkele plooi aan de
voor- of achterkant geeft
wat extra bewegingsruimte.

scherp
Platgestreken plooien die
allemaal in dezelfde
richting liggen.

plissé
Kreukeleffect door ragfijne
plooien, die er nat in zijn
gestreken. Vaak bij zijde.

rond
Ronde plooien, die van
onder tot boven zijn vastgenaaid. Geven veel volume.

sunburst
Accordeonplooien, die zo
gevormd zijn dat ze aan de
onderkant openvallen.

supermini

mini

midi

kuitlengte

enkellengte

maxi

ROKJES
welke kies jij?

potlood
Slank model tot op de knie. Heel chic en altijd inzetbaar.

A-lijn
Valt wijduit vanaf de taille. Hij is het leukst op knielengte.

rah rah
Met de korte, scherpe plooien heeft dit rokje een speels, ondeugend tintje.

strook
De gerimpelde strook trekt de aandacht naar de mooie benen eronder!

godet
De extra banen stof zorgen voor een uitlopend model en laten hem zwieren.

handkerchief
Dit 'zakdoekrokje' heeft ongelijke laagjes dat in punten is geknipt.

**Karla Deras | Karla's Closet
Simi Valley, Verenigde Staten**

shirt skirt
De banden die je voor de rok vastknoopt zijn de mouwen van een overhemd.

bustle
Gebaseerd op 19e-eeuwse tournure. Geeft vorm aan een jongensachtig figuur.

bubble
De zoom is smaller dan de rok en iets opgetrokken. Geeft een leuk, vol model.

koker
Een eeuw geleden
bedacht in Parijs.
Volume bovenaan
geeft mooie rondingen.

asymmetrisch
Schuin geknipte rok
die aan één kant
korter is. Heel
avant-gardistisch!

glamour op kantoor
" Als strapless jurk met een riem erom is hij
klassiek en chic en kun je hem overdag naar
kantoor dragen, maar ook 's avonds als je uitgaat.
Dan hoef je alleen maar de blazer uit te trekken! "

laagjes
De elkaar overlap-
pende laagjes geven
het rokje een vrou-
welijke structuur.

ruches
Brede tailleband en
laagjes geven mooie
rondingen. Draag
met een strak topje.

私はいつも

retro kunst
Kunst is voor mij een grote inspiratiebron, vooral de tijdschriftillustraties en schilderijen van Kasho Takabatake uit de jaren 20. Daarop zie je traditionele Japanse beauty's in combinatie met moderne mode. Deze vintage reclameposter vind ik ook prachtig – de kleding is heel meisjesachtig, maar de kleuren zijn helder, grafisch en grappig. Echt leuk!

、イラスト、音楽やファッションブログからインスピレーションを得ていますが、このルークの場合は自分の中にあった昔

do it yourself
Zeemansfranje
Shan Shan | Tiny Toadstool | Osaka, Japan

Ik ben aan de kust opgegroeid, daarom is de matrozenstijl mijn eeuwige favoriet. Hier draag ik een blauw katoenen rimpelrokje over een tutu. Daarna heb ik blauw, rood en wit gebruikt om de look fris en zeeman-chic te maken. Een vintage houten koffertje, met zeedieren gemaakt van juwelen, maakt het helemaal af!

mori gyaru stijl
Ik ben gek op de Japanse trend 'mori gyaru', wat zoiets betekent als 'bosmeisje'. Daarbij draag je laagjes lichte, gaasachtige kleren over elkaar en heel veel meisjesachtige accessoires. Dit rokje over de tutu is echt heel erg mori gyaru! Het Peter Pan-kraagje, de bloemblaadjes op het zonnehoedje en de kanten randjes op de sokken maken het heel vrouwelijk. Tot slot heb ik de Jeffrey Campbell-klompen gekozen om de outfit een beetje stoerder te maken, zodat hij helemaal bij mij past.

Maria Confer | Lulu Letty
Court Brighton, Verenigde Staten

Oliwia Kijo | Variacje
Lodz, Polen

Lida Mankovski | Fashionista Talk
Santa Clara, Verenigde Staten

Eva Lu
Huntington Beach, Verenigde Staten

Merily Leis | Sequin Magazine
Saku, Estland

meisjes, rokjes en fietsen
FIETSEN MET FLAIR

Wie zegt dat je niet kunt fietsen in een rokje? Zoek een geschikte fiets (met jasbeschermers), zoek een goed rokje (denk A-lijn, met een panty) en laat je benen maar zien. Het kan echt geen kwaad als de automobilisten wat beter op je letten!

op avontuur

Deze outfit past perfect bij hoe ik me die dag voelde: jong, zorgeloos en onbezonnen. Voor de foto's moesten mijn vriendje en ik op een hoge muur aan de zijkant van een rotswand klimmen. Het was nogal overmoedig – probeer maar eens tegen een muur op te klauteren in een lange rok! – maar ik kreeg het gevoel alsof ik weer kind was. En deze ruige schoenen bleken heel handig om mee te klimmen.

frisse ideeën

Het was bijna lente toen ik deze mooie witte bloemen zag staan bij de plaatselijke bloemen- winkel. Ik heb dus een bos gekocht, vervolgens de bloemen met superlijm op een satijnen lint geplakt en dat daarna om mijn hoofd gebonden. Ik wilde de look eenvoudig houden, daarom zijn mijn enige accessoires een paar ringen.

heerlijk bohemian

Met deze outfit aan voel ik me zo vrij als een vogeltje, alsof ik een zigeunerin ben die de wereld over wil reizen en iedere dag neemt zoals die komt. Ik weet dat het cliché is, maar zo voel ik het. Ik had ook het gevoel dat ik zo bij Woodstock vandaan kwam. Die tijd, die muziek, die liefde – ieder- een leek zo gelukkig en zorgeloos.

do it yourself

Lekker lang en luxe

Nicole Warne | Gary Pepper Vintage | Terrigal, Australië

Dit is de eerste maxirok die ik echt mooi vind. Hij is van navyblauwe zijde, zit prachtig om mijn taille en geeft me het gevoel dat ik geweldig chic ben. Hier draag ik hem met een roze hemdje en hoge schoenen, bloemen in mijn haar en eenvoudige sieraden voor een moderne, vrouwelijke look. De perfect getimede wind was een ideetje van Moeder Natuur – zo kun je goed zien hoe de rok beweegt en daardoor komt de hele outfit tot leven!

JURKEN

JURKEN – DE BASICS

Waar je ook naartoe gaat: je voelt je altijd speciaal in een fantastisch passend jurkje. Eigenlijk kun je nooit de fout in gaan met een jurk die de lijnen van je figuur volgt en ongeveer tot op de knie valt. Bij het passen kun je het beste een stukje lopen of een paar keer in de rondte draaien. Zo ben je er zeker van dat hij echt lekker zit.

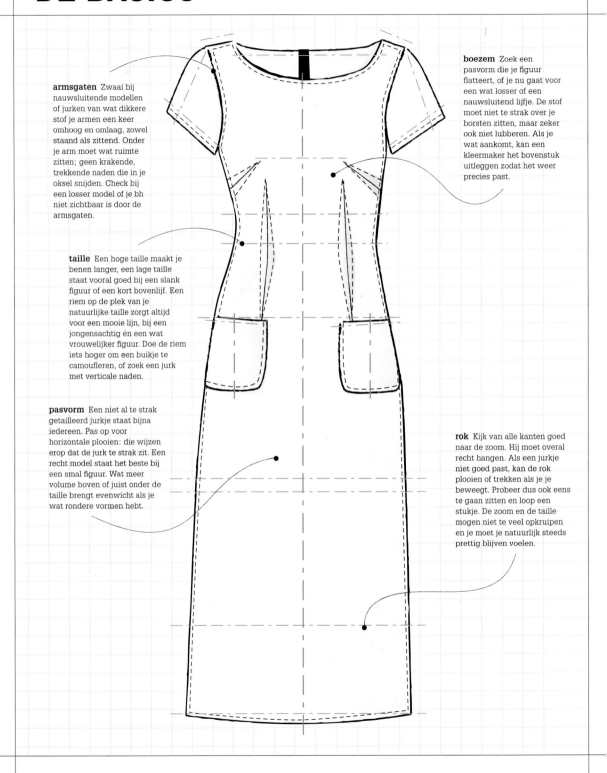

armsgaten Zwaai bij nauwsluitende modellen of jurken van wat dikkere stof je armen een keer omhoog en omlaag, zowel staand als zittend. Onder je arm moet wat ruimte zitten; geen krakende, trekkende naden die in je oksel snijden. Check bij een losser model of je bh niet zichtbaar is door de armsgaten.

boezem Zoek een pasvorm die je figuur flatteert, of je nu gaat voor een wat losser of een nauwsluitend lijfje. De stof moet niet te strak over je borsten zitten, maar zeker ook niet lubberen. Als je wat aankomt, kan een kleermaker het bovenstuk uitleggen zodat het weer precies past.

taille Een hoge taille maakt je benen langer, een lage taille staat vooral goed bij een slank figuur of een kort bovenlijf. Een riem op de plek van je natuurlijke taille zorgt altijd voor een mooie lijn, bij een jongensachtig én een wat vrouwelijker figuur. Doe de riem iets hoger om een buikje te camoufleren, of zoek een jurk met verticale naden.

pasvorm Een niet al te strak getailleerd jurkje staat bijna iedereen. Pas op voor horizontale plooien: die wijzen erop dat de jurk te strak zit. Een recht model staat het beste bij een smal figuur. Wat meer volume boven of juist onder de taille brengt evenwicht als je wat rondere vormen hebt.

rok Kijk van alle kanten goed naar de zoom. Hij moet overal recht hangen. Als een jurkje niet goed past, kan de rok plooien of trekken als je je beweegt. Probeer dus ook eens te gaan zitten en loop een stukje. De zoom en de taille mogen niet te veel opkruipen en je moet je natuurlijk steeds prettig blijven voelen.

Figuurnaden

Figuur- of coupenaden zijn eigenlijk een soort pijltjes; zoek naar naden die beginnen op een plek waar je niet veel ruimte nodig hebt en wijzen naar waar je juist meer moet hebben. Een voorbeeld: bij vrouwen met een smalle taille en grote borsten werken figuurnaden die vanuit het middel naar boven lopen perfect. Als de figuurnaden van een jurkje voor jou niet op de juiste plek zitten, krijg je te ruime, lubberende gedeeltes. Ga gauw naar de kleermaker voor een coupenaad make-over!

blote rug
Heb je een mooie rug die gezien mag worden? Kies dan voor een wat lager uitgesneden jurk. Sommige looks zijn gevaarlijk sexy, andere bieden net dat verleidelijke glimpje blote huid.

halslijn

schouder

middel

Frans

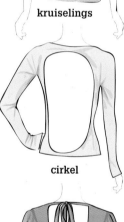
kruiselings

standaardnaden

prinsessennaad

armsgaten

middenvoor

cirkel

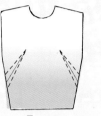

met strik

Kijk ook eens uit naar creatieve coupenaden: ze kunnen je jurk een innovatieve, artistieke look geven. Maar hoe leuk de details ook zijn, doe nooit concessies aan de pasvorm!

CASUAL JURKJES
welke kies jij?

shift
Recht, mouwloos jurkje met hoge ronde hals. Perfect voor elke dag.

kokerjurk
Werd oorspronkelijk als ondergoed gedragen. Geeft lengte en maakt slank.

kaftan
Luchtig gewaad met wereldbekendheid. Ideaal op het strand voor over je bikini!

maxidress
Lange jurk tot op de grond. De empire-taille verbergt vollere heupen of een buikje.

T-shirt
Sexy klassieker, perfect om in laagjes te dragen. De V-hals trekt de aandacht.

overhemdjurkje
Langere versie van het overhemd. Met een riem maak je de look vrouwelijker.

safari
Stoere versie van de overhemdjurk, met drukknopen op manchetten en zakken.

fifties
Jarenvijftigstijl met knoopjes van voren en een volumineuze rok met A-lijn.

swing
Nauwsluitend lijfje met wijde rok. Staat goed als je een wat vollere boezem hebt.

tabberd
Vrij rechte pasvorm; wordt met dunne, soepel vallende stof helemaal up-to-date.

los
Heerlijk loshangend jurkje zonder taille. Kies mini voor een sexy look.

tuniekjurk
Perfect in laagjes te dragen, of met een riem. Vaak met geborduurde details.

señorita
Dit jurkje in Mexicaanse stijl vráágt gewoon om warrige lokken en sandaaltjes.

blouson
Brengt evenwicht bij een volle boezem of bij brede heupen. Geeft iedereen taille!

slipdress
Met kanten details en smalle schouderbandjes. Flatteert een wat platter figuur.

babydoll
Superkort met hoge taille en smalle schouderbandjes of kapmouwtjes.

zomerjurkje
Vooral heerlijk zomers met gesmokt lijfje en spaghettibandjes.

superstrak
Sexy stijl; volgt de lijnen van je lichaam en laat weinig aan de verbeelding over.

strapless
Dit strapless jurkje van stretchstof volgt elke ronding... als je het durft te dragen!

kimono
Een kamerjasachtig jurkje met riem. De wijde mouwen vallen mooi over je armen.

Cristina Morales | La Petite Nymphéa
Barcelona, Spanje

schort
Speelse variant op het huishoudschort, met knoopjessluiting op de bandjes.

overgooier
Recht, mouwloos jurkje in simpele stijl. Geeft vrouwelijke touch aan jongensachtig figuur.

bretels
Hoge rok met speelse bretels. Om te dragen met een mooi T-shirt of top.

one-piece
Dit lijkt een combinatie van rok en topje: snel en gemakkelijk een geklede look.

wikkeljurk
Voor een prachtig vrouwelijk figuur. Maakt taille slanker en boezem voller.

trui-jurk
Onmisbaar in herfst en winter. De zachte stof geeft een sexy look én comfy feel.

jas
Getailleerde jurk met knoopjessluiting. Draag deze apart of als bovenste laag.

JURKJES
REMIX

Geen vrouw kan zonder *little black dress:* je draagt het overal en stylet het hoe je maar wilt. Maar black is niet hetzelfde als boring! Creëer volume door de rok te plooien en vast te spelden voor een arty laagjeseffect. Of draag het jurkje achterstevoren met de rits iets open voor een compleet nieuwe halslijn. Heeft je jurkje voorop een hippe print (brullende panters in de kast!)? Draag er een rokje over en show je topstuk als een T-shirt.

Rebecca Stice | The Clothes Horse
Fort Worth. Verenigde Staten

doe-het-zelf ballonrokje
"Om een trendy zoom en een opvallende vorm te creëren, heb ik de rok geplooid en met een paar veiligheidsspelden vastgezet. Het rokje werd er nog korter door, dus een legging was een must!"

basics achterstevoren
"Achterstevoren gedragen heeft het jurkje opeens een opvallend detail: de rits! De panter achterop maakt het zelfs spannend om een kamer uit te lopen... Ik droeg dit met een vintage sjaaltje in mijn haar en sleehakken met riempjes."

stiekem T-shirt
"Dit jurkje van Tryptich is een opvallend stuk in mijn garderobe, maar daarom niet minder flexibel en veelzijdig. Hier draag ik het met mijn favoriete vintage leren rokje om de opdruk extra goed uit te laten komen."

GEORGIA

NATIONAL MAP COMPANY

МЕСТО
ДЛЯ
МАРКИ

do it yourself
HET SIMPELE
ZOMERJURKJE

Rhiannon Leifheit | Liebemarlene Vintage | Atlanta, Verenigde Staten

Dit jurkje draag ik altijd graag,
maar zeker op een hete
zomermiddag in Georgia. Mijn
manier *to keep it cool:* een
combi van een luchtig, vrolijk
jurkje met kleine accessoires.
Op deze zomerdag droeg ik
het tijdens een shoptripje in
Commerce, Georgia, waar ik
samen met mijn vriendje alle
antiekwinkeltjes en vintage
boetiekjes afstruinde. Het is
perfect omdat het zo klassiek
is: als je alleen het jurkje
draagt is het al fantastisch,
maar met een paar kleine
touches tover je het om tot
iets speciaals. Wie het kleine
niet eert…

nip/tuck

Ik kocht dit jurkje online op Etsy, alleen was het te groot en veel te lang. Het kostte één avondje tot in de kleine uurtjes doorwerken om de taille in te nemen en er een nieuwe zoom in te leggen. Ik had dvd'tjes met oude Billy Wilder-films (zoals *The Apartment*) op staan om me wakker te houden. Het sjaaltje heeft een print van klosjes garen: past perfect bij een jurkje waaraan ik zo lang heb zitten naaien!

vintage vakantie

Toen ik deze outfit bedacht, stelde ik me voor wat een jonge Amerikaanse vrouw in de jaren veertig of vijftig op reis zou dragen; naar het verre buitenland of gewoon tijdens een uitstapje naar het platteland. In die tijd speurde ik bovendien vaak het internet af naar oude kiekjes en bekeek de fifties fashion in tienerblaadjes uit die periode. De schattige bloemetjesprint en het om m'n hals geknoopte sjaaltje zijn alle twee verwijzingen naar de fifties en de on-the-road-sfeer.

Louise Ebel | Miss Pandora
Parijs, Frankrijk

Kanae Otomo | Kansairetro
Nishinomiya, Japan

Rebecca Bergen | Fashion She Says
New York, Verenigde Staten

Dyanna Pure | The SF Style
San Francisco, Verenigde Staten

Casey Cartwright | Elegant Musings
Brandon, Verenigde Staten

Eva Schon
Praag, Tsjechië

Tiffany Brandenburg | Le Blog de Sushi
Melbourne, Australië

Khrystyna Marriott | Food, Flora, and Felines
Cork, Ierland

jurkjes van de eeuw
GO VINTAGE

Vintage is meer dan een mooi woord voor 'berg oude kleren'. Voel je een fifties sweetheart in een kanten partyjurkje of tover jezelf met een gehaakte tuniek om tot diva van de jaren 70. Of mix een mini uit de sixties of charlestonjurk met kraaltjes met iets moderners. Ik garandeer je: iedereen op het feest wil weten wie het meisje in dat jurkje is...

Lucile Vigier | The 4 Hundred Beats
Elancourt, Frankrijk

"De verrassende **gewatteerde stof** en de grappige **Marilyn-opwaairok** maken dit het perfecte jurkje voor een date overdag. **Sexy but sweet!**"

Jazzi McGilbert | Jazzi McG |
Los Angeles, Verenigde Staten

AVOND-JURKEN
welke kies jij?

verlaagde taille
Het verlengde lijfje geeft kleinere vrouwen lengte en accentueert rondingen.

smoking
Chic en sexy, afgekeken van de mannensmoking. Met details zoals naaldplooien.

baljurk
Voor de echte prinses, met nauwsluitend lijfje en wijde, gelaagde rok.

gedrapeerd
Met elegante lijnen voor een hemelse look. Draag er riemsandaaltjes bij.

zeemeermin
Volgt de lijnen van je taille en heupen, maar valt wijd vanaf de knie.

kanten overlay
Doorzichtig kant over glanzende stof. Combineert goed met opvallende accessoires.

empire
De soepel vallende rok en verhoogde taille zorgen voor de perfecte proporties.

hoog/laag
Door de verkorte voorkant trekt alle aandacht direct naar je killerheels!

cutaway
Mouwloos jurkje met ronde neklijn. Accentueert je blote schouders en armen.

peplum
Het gerimpelde laagje maakt smalle heupen ronder en geeft een speels accent.

split
Show je slanke benen met deze sexy split. Maak het compleet met superstiletto's!

tweedelig
Een rok met bijpassende top zorgt voor een elegante look en benadrukt de taille.

transparante top
Aansluitend jurkje met hartvormige halslijn en transparante mouwen en top.

doorkijkje
De split geeft een
doorkijkje voor een
opvallend kleur- of
stofaccent.

Watteau
Een prachtig vloeien-
de sleep valt als een
cape vanaf de
schouders omlaag.

prinses
Twee lange verticale
naden laten je langer
lijken en geven je
een slank figuur.

wiggle
Fifties-klassieker tot
op de knie en strak:
een sexy variant op
de kantooroutfit.

Baskische taille
Iets verlaagde en ge-
punte taillelijn: geeft
jongensachtig figuur
meer rondingen.

gekruiste haltertop
De plooien en
draaiingen geven de
jurk zachtheid en
dimensie.

wing bust
Een stukje stof piept
boven het decolleté
uit voor een
sexy effect.

strapless
Deze stijl met wijde
rok trekt alle aan-
dacht naar gezicht,
hals en schouders.

charleston
Recht model met ver-
laagde taille en een
vrolijke franje, die
met je meedanst.

tulp
Volume bij de heu-
pen zorgt voor een
zandloperfiguur; je
bovenlijf lijkt slanker.

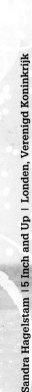

volants
De laagjes geven
structuur. Kies voor
een miniversie als je
het liever licht houdt.

bustierjurk
Must-have voor vrou-
wen met een kleine
cup. Staat superchic
met blazer en pumps.

party
De korte rok maakt dit
jurkje flirty, maar niet
te sexy voor een chi-
quere gelegenheid.

cheongsam
Nauwsluitende jurk,
vaak van satijn, met
hooggesloten kraag
en splitten opzij.

Sandra Hagelstam | 5 Inch and Up | Londen, Verenigd Koninkrijk

do it yourself
FINESSE UIT FLORENCE

Jane Aldridge |
Sea of Shoes
Dallas,
Verenigde Staten

aparte accessoires

De roze riem met lovertjes is ook van D&G; hij was van mijn moeder, maar op mijn twaalfde heb ik hem ingepikt. Intussen is de riem overal geweest: ik droeg hem in Tokio op een lange patchworkrok, in San Miguel de Allende over een Mexicaanse tuniek… Voor de schoenen heb ik stad en land afgezocht, maar het was de moeite meer dan waard. Toen ik me klaarmaakte voor het feest kon ik maar niet besluiten wat ik zou dragen. Ik ben blij dat ik uiteindelijk voor deze uitbundige look ben gegaan; thuis in Texas krijg ik zelden de kans om me zo te buiten te gaan! Hoewel ik altijd graag uitpak met een extravagante stijl. En waarom ook niet?

Toen ik werd uitgenodigd voor het tienjarige jubileumfeestje van de luxe boetiek Luise Via Roma in Florence, twijfelde ik lang over mijn partyoutfit. Het jurkje is van Dries van Noten, voorjaarscollectie 2008; ik wist het een jaar later voor een zacht prijsje op de kop te tikken bij een outlet in Dallas. Ik was blij met mijn grappige en speelse look: de schoenen met gezichtje van Dolce & Gabbana laten zien dat mode en gevoel voor humor heel goed kunnen samengaan, en door de blote rug met kraaltjes en strikdetail voelde ik me supervrouwelijk.

verzamelaar van stijl

Ik woon in Texas in een buitenwijk, ver weg van culturele mekka's als Florence. Wat je in Texas wel overal vindt, zijn excentrieke kunstenaars. Amateurkunst vind ik inspirerend en ik krijg een kick van het speuren naar creatieve curiositeiten en maffe maaksels. Deze harlekijnboekensteunen bijvoorbeeld. Of ik schep mijn eigen geinige, misschien wat onbeholpen kunstwerken; zie de tekeningen hierboven. Styling is voor mij net zo goed een kunst: alles draait om het creëren van een visie. Dat is waar ik van hou: prachtige spullen verzamelen en ze op een respectvolle manier laten zien.

passion for fashion

Bij het samenstellen van deze look had ik de extravagante benadering van Anna Dello Russo in gedachten. Ze heeft een goed oog voor alles wat glinstert en glimt, en ik vind het te gek hoe ze steeds weer in de weelderigste outfits bij modeshows verschijnt. Haar gevoel voor stijl draait om één ding: zorg dat je plezier hebt en wees niet bang om over de top te gaan.

JAPON REMIX

Iedereen heeft er eentje: een nette japon, ooit aangeschaft voor bruiloft of galafeest, maar nu verstoffend in een donker hoekje van de kast. Maar heb je wel eens geprobeerd om hem in laagjes te dragen, te experimenteren met de lengte, te combineren met een broek of zelfs een andere rok? Duik in je garderobe, creëer verrassende combinaties en haal zo het uiterste uit je brave bruidsmeisjesjurk.

lovely lady – Voor het eerst mee naar zijn ouders? Schort de lange rok op en verberg de overtollige stof onder een glanzende riem.

o-la-la-laagjes – Accentueer je rondingen en speel met vormen door er een strak stretchjurkje over te dragen. Sexy señorita!

een-twee-drie tuniek – Plooi de rok en zet hem vast in de taille, wurm je in je strakste skinny jeans en trek hoge laarsjes aan.

avondjurk

Oké, het is niet je favoriete jurk. Concentreer je op de delen die je wél leuk vindt (het kraaltjeswerk, de lange sleep, de halslijn) en verzin een look waarbij je die op z'n voordeligst kunt showen. Wil echt niets lukken? Ga op zoek naar een creatieve kleermaker!

retro in rood – Bevrijd je innerlijke Betty Boop: draag over de jurk een iets kortere wrapdress en een riem met speelse print.

punky petticoat – Schort de rok flink op en zet hem vast met spelden. Een tweede kort rokje erover en presto: een punky look met pit.

country girl – De paden op, de lanen in met dit korsetlijfje in countrystijl, denim jack en stoere boots.

moody nudes

Ik ben gek op subtiele combinaties van bruin, zwart en nude-tinten. Zei iemand dat het mixen van bruin en zwart tegen de regels is? Dan zijn deze lichtbruine riem en schoenen in nude-tint de perfecte partners-in-crime. Ik draag vaak een kleurenpalet dat is geïnspireerd op de impressionistische schilders – ik hou van hun zachte pastels en de structuur van hun penseelstreken – maar laat me ook graag inspireren door de heerlijk zoete kleurtjes van snoep en cupcakes.

De stijl van de seventies

Liz Cherkasova | Late Afternoon | San Francisco, Verenigde Staten

Mode is voor mij de volwassen versie van wat ik als kind al deed: verkleden! Mijn garderobe ademt de sfeer van seventies-mystiek (gehaakte jurkjes bijvoorbeeld, en veel franje), maar is up-to-date gebracht met felle kleuren en soepel vallende stoffen. Deze look heb ik gecreëerd toen ik op zoek was naar een chique en sexy uitstraling voor een romantisch avondje uit: een vintage jurkje van kant, gecombineerd met een kraag van nepbont en flink veel zilveren blingbling voor extra glamour.

from Moscow with love

Deze clutch is voor mij heel speciaal. Ik kreeg hem van mijn oma, die nog altijd in Moskou woont. Altijd als ik hem bij me heb, denk ik aan haar en hoe fantastisch het is dat ze dit tasje zo zorgvuldig heeft bewaard! Ik haal veel inspiratie uit mijn Russische achtergrond. De jurkjes van deze in elkaar passende baboesjkapoppetjes hebben eenzelfde kanten cirkelpatroon als mijn jurk en clutch. Baboesjka is het Russische woord voor 'oma'. Elk houten poppetje wordt iets anders beschilderd, zodat elk exemplaar uniek is.

KLEUREN
& STOFFEN

KLEUR BASICS

camel
Warme huidtypes met sterke contrasten stralen nog meer naast een rijke, warme neutrale tint.

Welke kleuren staan jou het beste?

Jouw beste kleuren zijn de tinten die maken dat je er fantastisch uitziet: je huid oogt fris en gezond, je ogen staan levendig, je glimlach straalt en je haren glanzen en zijn diep van kleur.

Om erachter te komen wat jouw kleuren zijn, hou je een vel wit papier bij je gezicht. Lijken je wangen roze of blauwachtig? Dan heeft jouw huidtint een koele ondertoon. Lijken je wangen eerder geel of oranje, dan is de ondertoon warm. De algemene regel is dat je het beste kleuren kunt dragen die passen bij de natuurlijke ondertoon van je huid.

Als er veel contrast is tussen de kleur van je huid, je ogen en je haren is jouw kleurtype helder. Je ziet er vooral goed uit in kleren en met make-up die dat contrast benadrukken. Als het verschil minder uitgesproken is, heb je een gedempter kleurtype. Zachtere, genuanceerde kleuren die niet overheersen, staan jou het voordeligst.

Hiernaast vind je kleuren die goed passen bij specifieke huidtypes. Toch is er maar één manier de beste om te zien wat jou flatteert: hou een kledingstuk in een kleur die je mooi vindt naast je gezicht en kijk wat het met je doet. De meest flatteuze tinten zijn niet altijd de kleuren waar je ook het meest van houdt, maar schrijf ze niet meteen af! Er zijn altijd manieren te vinden om ze zo in een outfit te verwerken dat je er toch fantastisch in uitziet.

helder oranje
Laat je gezicht stralen met een halsketting of sjaal in een flatterende tint wanneer je een top draagt die buiten je ideale palet ligt.

zalmroze
Zonnige pastels zorgen voor een warme uitstraling, vooral bij huidtypes met een perzikkleurige ondertoon.

helderrood
Felle kleuren (zoals vuurrood) staan mooi bij koele ondertonen en heldere, contrastrijke combinaties van huid, ogen en haar.

bordeaux
Een diep rood met een vleugje paars past goed bij vrouwen met een warme huidtint en hoog contrast in ogen en haar.

oranjegeel
Een stevig heldergeel staat goed bij warme ondertonen en veel contrast, en haalt een lichte oogkleur op.

helder goud
Warme huidtinten gaan glanzen van een gouden statement ketting vlak bij je gezicht.

neongeel
Draag accessoires met lastige kleuren wat verder van je gezicht af; een neongele legging bijvoorbeeld.

mosgroen
Een top in een natuurtint zorgt voor mooi contrast bij warme huidtypes en gedempte oog- en haarkleuren.

smaragdgroen
Zowel bij huidtypes met een koele als een warme ondertoon laat dit diepgroen met een vleugje blauw de ogen schitteren.

ijsblauw
Frisse pasteltinten passen goed bij bleke huidtypes en laten lichte ogen sprankelen.

aqua
Een helder aqua maakt lichtgrijze en bleekblauwe ogen intenser en laat een warme huidtint stralen.

lavendel
Zachte kleuren doen het goed bij gedempte, warme kleurtypes. Probeer eens deze lieve lavendeltint.

licht denim
Een top in licht denim laat een gedempt kleurtype met warme ondertoon stralen.

navy
Marineblauwe basics: voor vrouwen met een contrastrijk uiterlijk en koele huidtint.

aubergine
De mix van rood en blauw in deze kleur past goed bij zowel warme als koele huidtypes.

kobalt
Is je lievelingskleur te fel voor jouw huidtype, maar past hij wel bij andere tinten? Pas hem klein toe, bijvoorbeeld een tas.

COMPLEMENTAIRE KLEUREN

welke kies jij?

Hou je van een outfit met knallende contrasten? Speel met complementaire kleuren: ze liggen tegenover elkaar op de kleurencirkel en als je ze met elkaar combineert, lijken ze nog feller en stralender.

Ilanka Verhoeven | Fashionnerdic Rotterdam, Nederland

oranje en blauw

Deze combinatie schreeuwt luidkeels om de aandacht! Doseren dus, bijvoorbeeld een blauwe tas bij een oranje jurkje.

geel en paars

Donkere tinten geven je look haast iets vorstelijks. Ga voor zachtere nuances zoals citroengeel en violet voor een subtielere vibe.

rood en groen

Bang voor een clownesk effect? Kies dan liever tinten die ook wat grijs in zich hebben, zoals bruinrood en olijfgroen.

gedempt

Zwak het contrast af door lichtere tinten te gebruiken of kies alleen een accessoire in een complementaire kleur.

fel

Het helderste item trekt de meeste aandacht wanneer je kledingstukken draagt in kleuren die fel contrasteren.

ANALOGE KLEUREN

welke kies jij?

Een harmonieuze look bereik je door kleuren te kiezen die naast elkaar op de kleurencirkel liggen. Een dergelijk kleurenschema is zachter dan de complementaire combinaties en dynamischer dan een outfit in één enkele tint.

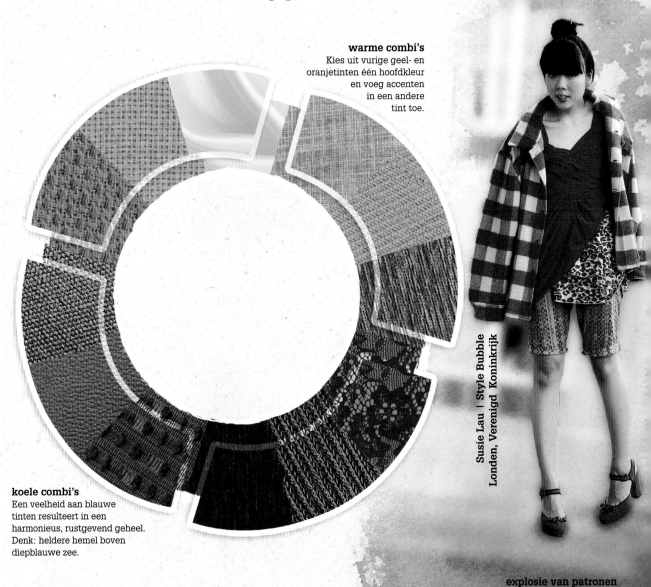

warme combi's
Kies uit vurige geel- en oranjetinten één hoofdkleur en voeg accenten in een andere tint toe.

**Susie Lau | Style Bubble
Londen, Verenigd Koninkrijk**

koele combi's
Een veelheid aan blauwe tinten resulteert in een harmonieus, rustgevend geheel. Denk: heldere hemel boven diepblauwe zee.

explosie van patronen
Patronen combineren kan tricky zijn. Kies prints in analoge kleuren voor een eclectische, maar elegante look.

MONO-
CHROMATISCHE
REMIX

Beken kleur en ga ervoor, met een one-color-outfit van top tot teen. Door je in één kleur te kleden, lijk je langer en slanker, en het is bovendien een geweldige manier om je stemming te vertalen in een stijl die iedereen laat weten hoe je je voelt. Kies zonnebloemgeel voor een vrolijk en stralend humeur, sereen blauw voor zen én chic, of bruin in ton-sur-ton-tinten voor een elegante look waar zelfs zwart jaloers van zal worden. Voorkom dat het geheel saai wordt door stukken in verschillende kleurnuances te combineren en te spelen met stoffen en textuur. Zo wordt jouw kleurenlook een visueel feestje.

Zanita Whittington
Sydney, Australië

gek op geel
"Deze look is geïnspireerd op de kleur van bananen en citroenen. Ik droeg het voor de grap (het kroontje is van een Christmas cracker), maar ik zou het zo aantrekken op een zonnige dag voor een uitje naar het park."

Michelle Koesnadi | Glisters & Blisters
Jakarta, Indonesië

true blue

"Door één kleur te benadrukken wilde ik deze dood-
normale combi van jeans-en-top een chique touch
geven. Het is een minimalistische look, maar toch
spring je er uit. En van blauw word ik zo rustig!"

Justyna Baraniecki | Chichichichic!
Ottawa, Canada

charming chocolate

"Ik hou van een beetje drama in mijn kleding! Basics
met een tikje glamour maken de dagelijkse sleur
makkelijker te dragen. Deze outfit droeg ik gewoon naar
het postkantoor. Je leeft maar één keer, dus pak uit!"

"Ik geef simpele outfits in **één kleur** graag
een **twist** door een felle **rode lipstick** te dragen!"

Carolina Engman | Fashion Squad | Stockholm, Zweden

do it yourself

RED ALERT!

Jennine Jacob | The Coveted | New York, Verenigde Staten

wat een skyline!

Architectuur doet me echt wat. In Chicago, waar ik woonde toen ik deze outfit droeg, kom je veel beton, baksteen en zwart gietijzer tegen; het is een oude industriestad en dat is goed zichtbaar in het centrum. Terugkijkend zie ik die diepe kleuren en spannende structuren ook in mijn kleding: veel rechte blokken en reliëf in de stoffen.

mode-improvisatie

De beenwarmers heb ik gemaakt van een trui die ik vond op een rommelmarkt in Frankfurt. Ik woonde destijds in Duitsland en omdat ik blut was, maakte ik de kerstcadeautjes voor iedereen zelf. Alleen de beenwarmers heb ik gehouden. Het wollen vest is ook van de vlooienmarkt. Man, wat heb ik daar plezier van gehad! De tweedehands-items heb ik gecombineerd met een zijden tuniek van Jean Paul Gaultier, een rode armband van Marc Jacobs en schoenen van Stuart Weitzman.

Carrie Harwood | Wish Wish Wish
Londen, Verenigd Koninkrijk

Susie Lau | Style Bubble
Londen, Verenigd Koninkrijk

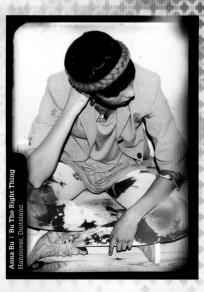

Anna Bu | Bu The Right Thing
Hannover, Duitsland

Tavi Gevinson | Style Rookie
Oak Park, Verenigde Staten

Arushi Khosla | Fab Blab
Delhi, India

Jane Aldridge | Sea of Shoes
Dallas, Verenigde Staten

fel, feller, felst
NEON

Go down electric avenue met over-de-top, brutale, gedurfde neonkleuren. Een bescheiden schokeffect bereik je met een gevlochten haarband, pittige pumps of einige zelfgemaakte pomponversiersels. Of laat iedereen met zijn ogen knipperen door alle kleuren in je oogverblindende outfit: fluorescerende legging, oversized tie-dye T-shirt of een psychedelisch nepbont jasje.

helder evenwicht

Ik ben gek op spelen met kleuren die bijna analoog zijn, in dit geval roze, oranje en geel. In deze outfit heb ik die levendige kleuren gemixt met zachte neutrale tinten: grijs en bruin. (Het laatste wat ik wilde, was ze verdrinken in saai en veilig zwart!) Kleine turkooise accentjes in de riem en halsketting perfectioneren het geheel.

picknick met passie

Als ik kleren koop, wil ik dat ze me inspireren tot fantasieën over wat er zou kunnen gebeuren als ik ze draag. Vreselijk romantisch. De kleuren van deze jurk roepen een droom op waarin ik geniet van een heerlijke picknick bij het water met frambozen en citroenlimonade.

do it yourself

TROPEN-WINTER

Rebecca Stice | The Clothes Horse | Fort Monroe, Verenigde Staten

Eigenlijk had ik me voorgesteld om deze jurk in de warme zomermaanden te dragen, maar hij arriveerde op een trieste, druilerige januarimiddag. Toch trok ik hem direct aan, om de dag zo een zomers kleurtje te geven. Vervolgens voegde ik wat warmere stukken toe om de ijzige temperaturen buitenshuis te kunnen trotseren... maar natuurlijk zonder concessies te doen aan mijn zonnige zomerkledingfantasie!

dagje naar het strand

Mijn stijliconen zijn de sterren uit klassieke films en vrouwen uit ouderwetse advertenties. Zoals deze, die ik op mijn kamer heb hangen. Ik ben verliefd op de beauty in badpak op deze poster, en de intense kleuren van de parasol zijn precies dezelfde als die van mijn jurk. Met de veterlaarsjes erbij was mijn outfit in reclameposter-retrostijl compleet.

aloha au iaoe

Ik heb op Hawaï gewoond: wat een explosie van kleuren! Het stralende blauw van de hemel en het felle oranje van de hibiscus... De mensen daar zijn de gelukkigste die ik ooit ben tegengekomen; waarschijnlijk is dat de reden dat de kleuren van Hawaï me altijd opvrolijken.

seersucker
Een vrolijke, iets gebobbelde stof, licht van gewicht en vaak in pastelstreepjes.

popeline
De stof voor blouses en overhemden: popeline is licht en fris en vooral heel erg veelzijdig.

ruwe zijde
Deze stof is minder bewerkt dan de bekende gladde zijde: de bobbeltjes geven de stof een mooie structuur.

waterverf
Op de stof is kleurige verf gedruppeld of gespat, voor een abstract en levendig aquareleffect.

swiss dot
Een romantisch stippeltjespatroon waarbij de stippen iets boven de stof uitsteken.

lakleer
Flatjes of een riem van glanzend leer kunnen je outfit omtoveren tot vrouwelijke glamchic.

kant
Ga voor de vibe van een Victoriaans tuinfeest, maar maak het modern met verbleekte jeans of stoere laarzen.

Jazzi McGilbert | Jazzi McG
Los Angeles, Verenigde Staten

batist
Katoenen materiaal, dat wel wat lijkt op dunne spijkerstof. Iets ruw en soms bijna doorschijnend.

broderie
Een lief patroon van borduurwerk met gaatjes. Voor een heel kledingstuk of een accent op mouw, halslijn of zoom.

keper
Stevige, diagonaal geweven stof. Iets gekleder dan jeans, maar toch nog luchtig en zeer veelzijdig.

piqué
Een lichte, rekbare stof met ingeweven structuur, vaak gebruikt voor poloshirts.

bloemenprint
Een onregelmatig patroon van grote bloemen. Geweldig voor een fiftiesjurkje.

liberty
Deze stoffen uit de jaren 30 met bloemetjesprint werden weer trendy in de sixties en de nineties.

chiffon
Een superdunne, glanzende en soepele stof voor hemels lichte lentejurkjes, blouses en lingerie.

LENTE-STOFFEN

welke kies jij?

Bevrijd je van alle dikke winterlagen en spring de frisse, betoverende wereld van de lente in. Dit is het seizoen om te spelen met supervrouwelijke silhouetten en charmante, chique stoffen. Is lief en zoet niet helemaal je ding? Combineer je jurk met bloemenprint dan eens met legerboots of draag je lakleren riem op een gescheurde jeans.

POLKA-DOT REMIX

Met stip op een: de stippeltjesprint. Kies voor schattig klassiek of ga voor een moderne mix. Zorg voor een lieve-school-meisjestouch met alleen hier en daar een polkadot op je panty's, of hou de suiker-overdosis juist op een afstand met een zwart stippenrokje over een pastelkleurig jurkje. Combineer polkadots met ronde studs voor een stoer spel met texturen.

Mayo Wo | Fleas on Glam Robe
Hong Kong, China

zoete stipjes
"Ik voel me jonger in deze kleren, alsof ik weer het kind van vroeger ben. Ik word dromerig van het huidskleurige chiffon van de jurk. Perfect voor een romantische boswandeling."

stippen op stippen

"Dit zou ik op een heel gewone dag kunnen dragen. Vooral het contrast tussen de stoere studs en de meisjesachtige stippeltjes vind ik te gek, zeker samen met het bleekroze van mijn enkellaarsjes."

pastels met pit

"Deze look is modern én romantisch; de kleuren zijn zoet als schuimpjes. Je ziet het niet op deze foto, maar de kniekousen hebben hartjes achterop. Een prima outfit voor een lunchdate!"

do it yourself

Zelfportret in zijde

Chantal van der Meijden | Cocorosa | New York, Verenigde Staten

Lentestoffen zijn mijn favoriet: al die zachte zijde en chiffon in gedempte tinten… Het komt vast door de kersenbloesems in de tuin van het huis in Nederland waar ik opgroeide. Sindsdien ben ik weg van luchtige, doorschijnende voorjaarsstoffen en -kleuren. Het zijden jurkje dat ik hier draag, doet me ook denken aan oud Engels porselein. De kleuren, de strik en de soepel vallende stof creëren een heerlijk weemoedig gevoel; alle zoete romantiek van het porselein heb ik vertaald in deze geweldige outfit.

elegant en exotisch

Ik krijg inspiratie van plekken met een rijke cultuur;
vooral luxueuze antieke stoffen vind ik geweldig. Deze
kimono is van Topshop, maar hij zou ook uit vervlogen tijden
kunnen komen. Hij is glanzend en doorschijnend, maar ook chic en
vrouwelijk. Hierin droom ik weg naar een exotische slaapkamer... Wat ik ook
prachtig vind, zijn barokke versiersels, zoals luxueuze laagjes en draperieën die je
bij marmeren beelden ziet.

rauwe romantiek

Om eenvoudige pastels iets stoers te
geven, ga ik altijd voor boots. Door
deze laarzen met studs wordt de
look niet té liefjes. Extra los wordt
het door de afgeknipte legging: ik
heb hem met de schaar omgetoverd
tot een paar slobberige kniekousen
zonder voeten. Om het zijden jurkje
body en volume te geven, heb ik het
iets opgeschort met een vintage riem
in goud. De outfit wordt er een
beetje nonchalant en slordig van,
maar precies op de goede manier!

ikat
Voor deze van oorsprong Maleisische stof wordt het garen voor het weven geverfd, waardoor in de patronen een wazig effect ontstaat.

Pucci
In de jaren vijftig was het Pucci die ze introduceerde: deze zwierige patronen in felle kleuren.

crush tricot
Het onregelmatig afgesleten en enigszins gekreukte tricot zorgt voor een sexy transparant effect. Voor een lichte touch naast steviger stoffen.

linnen
Niets draagt prettiger in de hitte dan natuurlijk, ademend linnen, gemaakt van vlas. Pas op: kreukt snel!

gingang
Een fris en vrolijk in twee kleuren geweven ruitje, perfect voor een relaxte zomerse picknick.

batik
Een Afrikaanse verfmethode die ge-bruikmaakt van was. Vaak in natuur-lijke kleuren en exotische patronen.

netstof
Een netachtig materiaal voor een mix van sportief en eighties glam. Com-bineert goed met contrasterende tint.

geometrisch
Je vangt alle blikken met zo'n krachtig, kunstzinnig patroon van geometrische vormen. Simpel, maar stylish en speels.

madrasruit
Lichte katoen met ruitjes, vaak bedrukt of genaaid in patchwork-patroon. Voor een luchtige strandlook.

mul

Tere, los geweven vezels, vaak met een gekreukelde look. Jij hoeft je over kreukels geen zorgen meer te maken!

matrozenstreep

Contrasterende strepen voor een charmante Franse uitstraling. Perfect te combineren met andere patronen.

chevron

Patroon van in elkaar grijpende V's in een los gebreide, soepel vallende stof met veel structuur.

gehaakte stof

Met de hand gemaakt: kantachtige look. Sierlijk en vrouwelijk over een top of als accessoire.

tie-dye

Dit patroon komt rechtstreeks uit de hippe sixties: de stof wordt gedraaid en vastgebonden, en daarna geverfd.

zijden ombré

Zijde met in elkaar overlopende kleuren. Geeft een dramatisch effect, in een zwierige jurk of tuniek.

lamé

De zomer is niet het seizoen voor subtiliteiten. Mix-and-match met metallic stoffen voor een zomerse hot look.

ZOMER-STOFFEN

welke kies jij?

Het lijkt soms onmogelijk om in de zomerse hitte een elegante look te creëren. Vecht niet tegen het weer! Combineer opengewerkte of lichtgewicht materialen met stoffen die een knallend kleureffect of metalen glans toevoegen. Hou het hoofd koel en je kleding cool, terwijl je outfit straalt als de zomerzon.

KNAL MET KLEUR

Funeka Ngwevela | The Quirky Stylista | Johannesburg, Zuid-Afrika

Deze outfit is gewaagd en krachtig: precies wat ik elke dag probeer uit te stralen. Ik ben gek op drukke, knallende prints! Dit patroon doet me denken aan vruchtbaarheid en geboorte, en de enorme bloemen passen perfect bij de zomer. Bij het samenstellen van deze retrolook heb ik niets aan het toeval overgelaten. Maar om tussen alle geitjes de perfecte tegenspeler te vinden? Tja… kwestie van geluk hebben!

back to my roots
Mijn outfit is vaak stoer, afwijkend en feministisch. Iemand die me geweldig inspireert is Camagwini, een jazz-zangeres en goede vriendin. Haar stem en stijl zijn diep geworteld in de Afrikaanse aarde: haar spirituele band met onze voorouders is onbeschrijflijk en werkelijk wonderbaarlijk.

DJ style
Toen ik deze kleurige outfit bij elkaar zocht, zag ik mezelf al voor me: hip-hoppend in de nineties met Will Smith of DJ Jazzy Jeff. De zachte, vaak gedragen schoenen zijn perfect om op te breakdancen en geven de hele look een casual feel. De rode zonnebril en dito lippenstift halen de felle kleuren nog eens extra op en maken er een statement van.

stoer mode-icoon

Mijn outfit is geïnspireerd op hét popicoon uit de eighties: Grace Jones, een in Jamaica geboren ster die beroemd is vanwege haar gedurfde androgyne, maar elegante stijl. Ze kiest haar eigen weg en maakt haar eigen trends. Haar kledingstijl is flamboyant, met krachtige vormen en stoere, op menswear geïnspireerde schoudervullingen. Mijn kapsel is een hommage aan haar!

"Deze jurk vond ik een paar jaar geleden op een **rommelmarkt:** hij leek me perfect voor een wandelingetje in het park tijdens een prachtige **zomerse zonsondergang**. Het zijn soms de **simpelste dingen** die je het gelukkigst maken!"

Cristina Morales | La Petite Nymphéa | Barcelona, Spanje

modecontrasten
STREPEN

In welke tijd je inspiratie ook ligt: strepen
zorgen altijd voor een strakke, stijlvolle
uitstraling. Hou het elegant met één
patroon, of kies kleine accessoires met
stoere zwart-met-witte strepen. Of je
ze nu combineert met effen kleuren
of juist met subtiele prints,
strepen (zelfs horizontale!)
doen meer voor je figuur
dan je denkt.

Iris Gravemaker | Fashion Zen
Hilversum, Nederland

Clara Campelo | Zebratrash
Rio Branco, Brazilië

Cristina Morales | La Petite Nymphéa
Barcelona, Spanje

Barbara Zanella | Nao Sou Sua Playmobil
Santa Catarina, Brazilië

Coco Mayaki
Krakau, Polen

Yuki Lo | Oriental Sunday
Shanghai, China

Chantal van der Meijden | Cocorosa
New York, Verenigde Staten

dierenprint
Van luipaard tot zebra: deze prints hoeven niet op echte dierenhuiden te staan om elegantie uit te stralen.

vilt
Wol wordt bewerkt tot een dik, dicht materiaal dat bijvoorbeeld jasjes een warme, comfortabele feel geeft.

krokodillenleer
Deze exotische dierenhuid met rijke textuur geeft contrast aan traditionele herfstpatronen en neutrale tinten.

toile de jouy
Oorspronkelijk uit achttiende-eeuws Frankrijk: stof met figuratief dessin, vaak van landelijke scènes.

ajour
Gebreide stof met eenvoudig gaatjes-patroon of ingewikkelder motieven. Leuk op kousen, truitjes of vestjes.

Schotse ruit
Ruitpatroon in verschillende traditionele kleuren. Een echte herfstfavoriet voor rok of sjaal.

suède
Gemaakt van de binnenkant van een dierenhuid. Iets ruwer dan gewoon glad leer, met een zachtere vleug.

Shannon Licari | Dirty Hair Halo
Minneapolis, Verenigde Staten

flanel
Effen of met grunge-ruitje uit de jaren negentig: flanel valt altijd soepel en voelt heerlijk zacht en pluizig aan.

thermo
Speciale breitechniek, creëert kleine holtes die warmte vasthouden en voor een subtiele structuur zorgen.

getwijnde wol
Breisels van in verschillende kleuren getwijnde wol geven je kleding structuur en dimensie.

paisley
Dit sierlijke patroon komt oorspronkelijk uit India. Soms luxueus en chic, soms funky en psychedelisch.

corduroy
De ribbels en fluwelige structuur geven een casual effect. Perfect te combineren met allerlei patronen.

kasjmier
Deze geitenwol is de zachtste die je kunt vinden. Investeer in kwaliteitstruien die jaren je favoriet zullen zijn.

argyle
Klassiek en chic, deze schuine ruitjes. Combineer met versleten denim of stoer leer voor een cool contrast.

HERFST-STOFFEN

welke kies jij?

Zodra kille najaarsstormen het land bereiken, steekt het verlangen naar warmte en weelderigheid de kop op. Kies karakteristieke stoffen die je kunt combineren tot elegante maar comfortabele ensembles. Draag een suède rok onder een blouse met paisley-patroon of combineer een opvallende dierenprint met grove breisels: voor een rijk en luxueus gevoel tijdens dit stormachtige seizoen.

mooie mannenmode

Kledingstukken voor mannen kunnen op
een vrouwenlichaam soms resulteren in
fantastische, onverwachte vormen, vaak
met een heel vrouwelijk effect. De strakke
lijnen van deze nepleren broek spelen
een subtiel spel met de ruimvallende,
slobberige sweater. De tas is eigenlijk een
schrijfmap, maar doet hier goede diensten
als enorme clutch. De vilten gleufhoed is
mijn allereerste hoedje. De hoge hakken
met riempjes heb ik op het laatste moment
toegevoegd, om een anders nogal relaxte
look op te peppen. Het gouden medaillon
geeft het geheel extra glans.

mijn innerlijke marchesa

Ik was op zoek naar de perfecte sto-
la van nepbont toen ik op eBay deze
beauty tegenkwam. Ik verdrink er
bijna in: heerlijk! Hij past perfect bij
mijn fascinatie voor de Italiaanse
marchesa Luisa Casati, dé belicha-
ming van excentriciteit en grandeur
in het Europa van de vroege twintig-
ste eeuw, en muze van kunstenaars
als Man Ray. Er werd verteld dat ze
levende slangen als sieraad droeg
en tijdens haar avondwandelingetje
vergezeld werd door jachtluipaarden
met diamanten halsbanden, terwijl
ze naakt was onder haar bontmantel!
Ook kon het gebeuren dat je tijdens
een diner bij haar naast een extrava-
gant uitgedoste etalagepop zat.

do it yourself

Passie voor Paisley

Nadia Sarwar | Frou Frouu | Londen, Verenigd Koninkrijk

Het eerste wat mijn aandacht trok bij deze trui was
de paisley-print in gedempte kleuren. Het design is
niet ingeweven maar op de stof gedrukt; van dicht-
bij ziet het er wat grof uit. Mijn liefde voor paisley
stamt uit mijn kindertijd: ik herinner me paisley-
printjes door het hele huis: de zijden kamerjas van
mijn vader, geinige kleren die mijn moeder voor me
maakte en hier en daar een kussentje op de bank.

Marcella Lau | Fashion Distraction
Auckland, Nieuw-Zeeland

Jane Aldridge | Sea of Shoes
Dallas, Verenigde Staten

Clara Campelo | Zebratrash
Rio Branco, Brazilië

Marianne Theodorsen | Styledevil
Oslo, Noorwegen

Cilen Kurt | Cleo in Love
Istanbul, Turkije

Aurélia Scheyé | Fashion Is a Playground
Parijs, Frankrijk

Marla Singer | Versicle
Yogyakarta, Indonesië

Meijia Shao | Fashion Is My Life
Shanghai, China

Dar Mashiah | Fashion Pea
Haifa, Israël

een onsterfelijke trend
DIERENPRINT

Draag een op een dierenvacht geïnspireerd printje en iedereen die je ziet, begint instemmend te spinnen. De kunst is om het patroon zo te temmen dat het effect safari chic is. Begin met kleine doses (sjaaltje, schoenen, haarband of clutch) voordat je vertrouwen genoeg hebt om voluit te gaan met een furry jack of top-tot-teen kaftan. Welk dier je totem ook is, als fashionista móét je af en toe je wilde kant showen.

bouclé
Geweven of gebreid van garens van verschillende spanning. Door de lusjes krijg je een pluizig oppervlak.

pied-de-poule
Dit gebroken ruitjespatroon is een klassieke, maar springlevende keuze voor kleding én accessoires.

leer
Voor laarzen, jasjes of broeken: leer is het toppunt van sexy luxe. Door het dragen, wordt het alleen maar mooier!

bont
Een onmiskenbaar symbool van luxe en verfijning. Koop vintage – of nep! – als je hart voor dieren hebt.

visgraat
Stof die geweven is in een patroon van kleine V'tjes. De naam spreekt voor zichzelf: je ziet de graatjes zitten.

chenille
Zacht, pluizig en licht glanzend weefsel van in elkaar gedraaid garen. Ideaal voor truien en sjaals.

tweed
Zware stof, geweven van verschillende kleuren garen. Houdt op natte winterdagen al het vocht buiten.

fair isle
Een breitechniek met verschillende kleuren garens, vaak in geometrische patronen.

grof gebreid
Losse breisels, vaak van dikke, grove garens, zorgen voor een zelfmaaklook en een nostalgische uitstraling.

merinowol
De wol van merinoschapen is heel zacht, warm en tóch ademend. Perfect om in laagjes te dragen.

schapenvacht
Leer aan de ene kant, geschoren wol aan de andere kant: stoer en chic voor laarzen of als voering van een jas.

fluweel
De rechtopstaande pluizen vormen een dikke, zachte stof. Fluweel in diepe kleuren geeft elke look iets vorstelijks.

brokaat
Zware, kostbare stof met een iets verhoogd patroon. Fantastisch voor formele avondkleding en jasjes.

satijn
Satijn, vaak gemaakt van zijde, heeft een mooie glans en valt soepel. Perfect voor avondkleding in de winter.

kabel
Gebreide stof van katoen of wol met een kabelpatroon. Geeft je lekkere warme trui een preppy look.

cowboyruit
Brede ruit, vaak in rood en zwart, of wit en zwart. Combineer met laarzen en een sjaal: klaar voor het kampvuur.

WINTER-STOFFEN

welke kies jij?

In de winter draag je een heleboel laagjes, of je het nu wilt of niet. Geniet er dus maar van! Dit is de perfecte periode om te experimenteren met combinaties van texturen. Doe decadent met een fluwelen jas, bontkraag en leren clutch. Of mix functionele stoffen met luxueuze materialen; een comfortabel jasje in cowboyruit over een nauwsluitend jurkje van satijn of brokaat is misschien wel het beste van twee werelden.

Om me te ontspannen zet ik graag akoestische muziek of rustige indie-nummers op. Ik weet niet of je het kunt zien, maar op deze foto luister ik ook naar muziek. Uit allerlei dingen haal ik inspiratie, maar uiteindelijk leef ik gewoon in mijn eigen cocon.

do it yourself

WARM IN
WINTERWONDERLAND

Barbro Andersen | Oslo, Noorwegen

Ik mix graag totaal verschillende stoffen en texturen, zoals leer en wol. Een leren jurkje op zichzelf is nogal heftig, maar gecombineerd met een grof breisel wordt het direct zachter en interessanter. Met een katoenen shirt, doorschijnende panty, een geperforeerde leren riem en hoge veter-schoenen heb ik alles nog een level hoger getild.

ruige mode

Ik ben opgegroeid in het noorden van Noor-wegen, waar fjorden en strandjes een con-trast vormen met bergen en gletsjers. De ruigheid van het landschap vormt voor mij een geweldige inspiratiebron. Onlangs ben ik een stuk zuidelijker gaan wonen, in Oslo. Deze look heeft wel wat van het provincie-meisje meets city-chic: vintage vs. high-fashion en wol vs. leer.

motormuis

Mijn ouders zijn altijd gek geweest van motoren. Ik kan me niet anders herinneren dan dat ik ze in hun leren jacks zag. Ik weet dat ik nog geen jaar oud was toen ik voor het eerst op een van die machines zat! Opgroeien in de buurt van twee van die motorfanaten heeft zeker bijgedragen aan mijn liefde voor leer in alle kleuren en stijlen.

FAIR ISLE REMIX

Wanneer de kille winterwinden waaien
hou je de kou buiten de deur met deze
warme breisels in folksy fair isle.
Mix-and-match gebreide kousen met
nog veel meer patronen, breek een van
top-tot-teen outfit met een sjaal plus riem,
of ga voor een rustig motief op een subtiel
vestje. Deze vorstvrije stof doet
driedubbel dienst: cozy, cute en stylish.

Lini Trinh | Schanh Diu Fashion
Hannover, Duitsland

patroon-tastisch
"Deze kniekousen hebben eenzelfde patroon als mijn
trui, dus heb ik ze gecombineerd met een blauwe
stippelshort voor een brutale, grappige twist.
En oorwarmers: ik verzamel ze, ze zijn zo snoezig!"

Sania Claus
Stockholm, Zweden

modernisme meets bohemian
"Waarom zou je een reden nodig hebben om een speciale outfit te dragen? Ik zie mezelf zo in Central Park door de gele, rode en bruine bladeren dansen in deze combi van trui en legging."

Helene Ryden
Nässjö, Zweden

Scandinavische retro
"Deze lusekofta, een traditionele Zweedse trui, is zo fijn als het koud is! Met een bijpassende muts en beige maillot heb ik perfect de sfeer van Scandinavische vintage te pakken."

"Tijdens een **prachtige zonsondergang** heb ik wat foto's van mezelf gemaakt tegen een achtergrond van een **berg kussens.** Het warme lamswollen vest en de kanten ochtend-jas kloppen precies bij de **comfortabele chaos.**"

Jane Aldridge | Sea of Shoes | Dallas, Verenigde Staten

SCHOENEN

FLATS
welke kies jij?

ballerina
Elegante schoen met dunne zool. Heeft vaak een dun strikje op de neus.

strik
Versierde of funky strikken contrasteren bij deze super-vrouwelijke schoen.

gesp
Een metalen detail geeft een zakelijke touch aan een vrouwelijke vorm.

Oxford
Klassieke mannen-schoen; staat chic en speels in een vrou-welijke garderobe.

brogue
Van oorsprong een landelijke schoen, met gaatjes langs de naden.

loafer
Stop een muntje in de gleuf of ga voor een versierde versie. Lief en levendig.

jazz
Een Oxford-style schoen van zachter materiaal dat mee-buigt met de voet.

chukka
Een enkelbootie, vaak in leer of canvas met twee of drie vetergaatjes.

instapper
Low profile en veter-loos. Geeft je het gevoel van een luie sneaker.

espadrille
Stevig canvas op een juten zool geven deze luchtige schoen een rustiek karakter.

canvas skimmer
Deze kruising tussen een sneaker en een ballerina past bij een casual-chique outfit.

tabi
Een Japanse schoen met een splitsing tussen de grote teen en de andere tenen.

kurkzool
Voorkom het geiten-wollensokken-idee en draag ze met een gedurfde outfit.

slipper
Het lijkt bijna alsof je niets aanhebt met dit bandje in Y-vorm tus-sen je tenen.

sandaaltje
Een dun leertje gaat tussen je tenen, maar je hebt praktisch niets aan je voeten.

teenringsandaal
Het bandje om de grote teen geeft iets meer stevigheid dan bij een slipper.

versierd
Glittertjes maken een basic outfit feestelijk en een geklede outfit luchtig.

enkelbandje
Lijkt op een sandaaltje, maar heeft een discrete, schattige gesloten neus.

skimmer
Simpele flatjes met maillot of broek in dezelfde kleur geven je een slanke lijn.

gepunte skimmer
De gepunte neus verlengt je benen en maakt deze basic schoen eleganter.

Mary Jane
Girly uitstraling door het bandje. Neem zwart lakleer voor een klassieke look.

Chinees flatje
Een Mary Jane, gemaakt van zacht, soepel canvas. Is meisjesachtig én stoer.

monk
Dubbele banden met gespen; vervangt de saaie standaard schoenveter.

zadel
Modieuze schoen in twee kleuren, vaak in traditioneel zwart en wit.

boot
Een klassiek, preppy Amerikaans model. De zool geeft grip op gladde oppervlakken.

mocassin
Leren of suède instapper met stiksels op de neus. Vaak met franjes als detail.

side tie
Deze mix tussen mocassin en Oxford is funky maar stijlvol.

wallabee
Comfortabele mix van een dikke crêpezool en de neus van een mocassin.

skate
Door de zachte vulling ben je goed beschermd tegen stoten en schuren.

klittenband
Een volwassen versie van de kinderschoen met klittenband.

low-top
Ontworpen voor basketbal, maar geliefd wegens de casual-chique uitstraling.

high-top
Omgevouwen of tot boven geveterd; ze zien er altijd *streetsmart* uit.

hiphop
Kies opvallende kleuren, strepen of *eyecatching* patronen.

sportschoen
Gemaakt voor ondersteuning en gemak. Een perfecte keuze voor het weekend.

huarache
Gevlochten leer op een dun zooltje; geeft leuke twist aan een zomerse outfit.

lint
Bij deze sexy sandaaltjes kruis je lint of dunne leren stroken om enkel en kuit.

enkelschacht
Door het losse enkelstuk is dit deels een gladiatorsandaal, deels een enkellaarsje.

Romeins
Door de band om je enkel lijken je benen korter, daarom mooi met een klein hakje.

asymmetrisch
Een onverwacht detail trekt de ogen naar je sierlijke enkels.

flexibel
Een gek schoentje van helder plastic bandjes. Vaak met glittertjes of felle kleur.

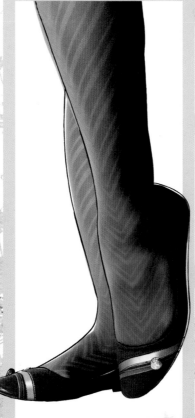

fancy versieringen
Zoek wat schattige franjes en maak die langs de rand vast met textiellijm of naald en draad.

preppy streepjes
Maak je schoenen speciaal met lintjes en knoopjes in verschillende kleuren.

vastgeketend
Maak achter in je schoen een gaatje voor een ringetje en doe hier wat leuke kettingen aan.

FLATJES REMIX

Functionaliteit en flatjes gaan hand in hand... of voet in schoen. Maar flatjes kunnen net zo stijlvol zijn als stiletto's, zeker als je experimenteert! Kies een simpel paar in een van je lievelingskleuren en voeg een van de bovenstaande creatieve details toe. Of gebruik deze ter inspiratie voor je eigen versiersels zoals studs, pluizige pompoms of glitterverf voor echte twinkeltenen.

ballerina babe
Naai satijnen linten aan je schoen (of doe alsof en bind ze alleen om je enkel).

stijlvolle sjablonen
Doe eens creatief met textielverf en sjablonen (of bedenk zelf figuren).

elegante oorbel
Maak je schoenen extra chic door er een vintage clip-oorbel aan te klemmen.

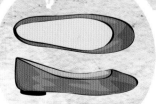

flatjes
Deze basic schoen werd populair toen ze door Audrey Hepburn werden gedragen in de film *Funny Face,* in combinatie met een capri en oversized zonnebril. Flatjes zijn erg comfortabel; ze zijn netjes genoeg voor op kantoor en kittig genoeg voor op de dansvloer.

Wereldreizigers-logica Ik reis superveel; van L.A. tot Kaapstad en Vancouver. De beste manier om een stad te leren kennen is om er helemaal doorheen te lopen en dat gaat niet als je hoge hakken draagt. Daarom hou ik van comfy, felgekleurde sneakers – ik heb meer dan 50 paar!

Op een schilderachtige manier

Ik ben heel erg gek op kunst, onder andere de Duitse expressionistische groep *Der blaue Reiter*. Deze groep is opgericht door Kandinsky; de kunstenaars wilden emotie verbeelden met kleur en deden dat voornamelijk met blauw, zoals je kunt zien in dit schilderij van Franz Marc. Dat is mogelijk een van de redenen waarom mijn outfit aan hen doet denken; als ik me aankleed, denk ik aan kleuren zoals kunstenaars dat ook zouden doen. Ik zit zelf op de kunstacademie en maak multimediaprojecten… waarvan sommige me wel eens problemen kunnen gaan bezorgen. Een van mijn favoriete films is *Beautiful Losers*, die gaat over street art.

Klaar voor de club
Sneakers zijn perfect als je gaat dansen. Ik draag ze altijd naar hiphopfeesten of indierockconcerten.

Een beetje bleu

Anna Bu | Bu the Right Thing | Hannover, Duitsland

Ik had helemaal geen zin om te gaan stappen, maar mijn vrienden wilden heel graag met me uit. Ik trok snel een (bijna) helemaal blauwe outfit aan om te laten zien hoe ik me voelde: babyblauw T-shirt, zeegroene legging, een vintage jasje met pailletjes plus mijn beige met groene sneakers! De funky maar neutrale kleur gaf deze look wat contrast.

jump for joy
LEUKE SCHOENEN

Van sommige schoenen word je zo gelukkig dat je er wel van móét springen. Van robuuste werkboots tot gave gladiatorsandaaltjes, van sportieve sneakers met een hakje tot verrassende sleehakken met Hermes-vleugeltjes; je favoriete schoeisel kan best wat onpraktisch zijn, zolang je er maar actief en speels mee kunt doen. En springen van geluk natuurlijk.

Margerat Zhang | Shine by Three
Sydney, Australië

Zanita Whittington
Sydney, Australië

Rhiannon Leifheit | Liebemarlene Vintage
Atlanta, Verenigde Staten

Angela Chen | Pandaphilia
San Diego, Verenigde Staten

Shini Park | Park & Cube
Londen, Verenigd Koninkrijk

Merily Leis | Sequin Magazine
Saku, Estland

Chantal van der Meijden | Cocorosa
New York, Verenigde Staten

Jing Qi | Jingjing
Hannover, Duitsland

HAKKEN
welke kies jij?

pump
Een amandelvormige neus met een medium hak staat altijd chic en flatteus.

kegel
Begint breed, loopt smal af. De zoom van je broek moet bijna de grond raken.

kitten heel
Speels en makkelijk om op te lopen. De dunne hak is lager dan 5 cm.

Louis
Een hak met zandlopermodel. Kwam in de mode door Louis XIV.

gestapeld
Soms net zo hoog als een stiletto, met een hak gemaakt van laagjes leer of hout.

plateau
Een extra dikke zool geeft je stiekem wat meer lengte en werkt als schokdemper.

D'Orsay
Een supersexy pump, die de welving van je voet en wreef bloot laat.

peep toe
Subtiel decolleté voor je tenen. Perfect om een mooie pedicure te showen.

slingback
Met deze klassieker aan je voeten lijken je enkels en kuiten slanker.

espadrille
Zomerse klassieker met enkelbandjes die vaak een mix is van katoen en jute.

kurken sleehak
De zachte, lichte zool past bij het luchtige uiterlijk van dit sandaaltje.

strikband
Strik de brede band om je enkel. Net geen pump en net geen bootie.

gladiator
Geïnspireerd op klassieke strijders; soms zelfs met bandjes tot de knie.

versierd
Is een goede aanvulling op avondkledij of juist op een simpele outfit.

slide
Met een open achterkant en open neus. Makkelijk aan en uit te trekken!

geta
Traditionele Japanse slippers met houten zolen op blokjes.

kurken plateau
Een moderne versie van een kindje van de flowerpowertijd.

spectator
Begon als een cricketschoen in de 18e eeuw. Tweekleurig, meestal zwart-wit.

kooi
Subtiele kunst voor je voeten, van draadachtig materiaal. Delicaat maar gewaagd!

sleehak met gespen
Een sandaal met bandjes en gespen voor een stoere, zomerse look.

bootie
Een enkellaarsje met een boost! Overtuigend, modebewust en erg sexy!

stiletto
Vernoemd naar
het mes. De dunne
hak is minstens
7,5 cm hoog.

sleehak
Comfortabel alter-
natief voor stiletto.
Een slanke sleehak
maakt niet lomp.

halve sleehak
Heeft een milde slee-
hak. Geeft op een
ingetogen manier
extra hoogte.

enkelbandje
Een bandje dat je
om je enkel vast-
maakt. Sexy en
stijlvol.

Mary Jane
Door de hak wordt
dit schoolmeisjes-
model een stuk
volwassener.

T-bandje
Variatie op de Mary
Jane. Kies een nude
kleur voor verlenging
van je benen.

gek en geweldig
Wie zegt dat functio-
naliteit belangrijk is?
Jezelf uiten is vaak meer
dan alleen praktisch
denken, dus ga de uit-
daging aan met een van
deze meer gewaagde
ideeën!

hak met uitsnede
Een kunstzinnige
uitsparing in de hak
geeft een moderne
en luchtige look.

klomp
Traditiegetrouw ont-
worpen met een
houten zool en een
ruime pasvorm.

muiltje
Een moderner
en meer gestroom-
lijnde versie van de
klomp.

veterlaars
Veterlaarzen kunnen
best in de zomer;
neem gewoon een
paar met open neus!

plateau sleehak
Een goede keus voor
het drukke mode-
bewuste meisje.
Stylish maar stoer.

sneaker
Je schoolgympies
krijgen een funky en
chiquer karakter
met een hak.

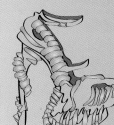

do it yourself

Pump Up the Tweed

Michelle Koesnadi | Glisters & Blisters
Jakarta, Indonesië

Deze look begon met tweed slingback pumps! Ik vond tweed altijd al een stof die van iets simpels iets spannends kon maken. Vaak denken mensen dat deze stof formeel of ouderwets is, maar het is makkelijk om er iets anders mee te doen. Door een biker jasje (ook van tweed!) bij deze damesachtige pumps te dragen, werd de look gelijk wat meer casual. Met wat stoere ringen en een grote zonnebril (voor mij de makkelijkste manier om een look te upgraden) maakte ik het af.

charming Chanel

Als ik tweed zie, denk ik altijd aan Chanel. Ik weet dat het een beetje cliché is, maar ik houd al van Chanel sinds m'n moeder me die kleding liet zien toen ik nog een kind was. Ik zit op de modevakschool, maar ik vind het ook erg leuk om wat creativiteit kwijt te raken door te tekenen. Het helpt me om te focussen en relaxed te blijven op stressvolle dagen. Soms zijn mijn tekeningen modegerelateerd, zoals dit waterverfschilderij dat ik maakte van mijn favoriete stijlicoon: Coco Chanel natuurlijk!

opnieuw sexy

Ook al ben ik gek op statement pieces, ik werk ook erg graag met basics, zoals deze witte jeans en dit navy T-shirt. Van basisstukken word ik creatief; ik kan experimenteren met laagjes, oprollen, vastbinden met lintjes of veiligheidsspelden, echt alles! Deze spijkerbroek had oorspronkelijk een boot cut, maar ik heb er een skinny van gemaakt. Ik wil een kledingstuk graag jaren dragen en als ik het dan zat ben, probeer ik er gewoon iets nieuws mee – al is het maar het veranderen van de knopen.

vrolijk jong ding

Ik wilde bewijzen dat tweed met elke gelegenheid gedragen kan worden. Ik gebruikte de zonnebril met bloemenprint en de plastic armbanden om de look wat vrolijker en minder formeel te maken. De haarband met polkadots heb ik een paar jaar geleden van mijn moeder gepikt en ik draag 'm altijd als ik vind dat mijn outfit te stijfjes aandoet; het is echt ongelooflijk hoe één element een hele look kan veranderen! En als ik wit met rode en blauwe details draag, voel ik me vaak nog vrolijker en jonger ook.

"Als ik vrolijk ben, houd ik van **kleurrijke** items en dingen met **bloemetjes.** Dus ik draag deze schoenen niet op speciale gelegenheden, maar wel als ze bij mijn humeur passen of om **vrolijk te worden."**

Yuki Lo | Oriental Sunday | Hong Kong, China

HAKKEN
REMIX

Een paar klaar-om-te-gaan-hakken hoeven helemaal niet basic te zijn – je ziet er heel avant garde uit met bijzondere schoenen van gaas en een stoere, doorzichtige hak. Maak er een geheel van met transparante nudes als basics en opvallende sieraden, gebruik ze als anker om felle kleuren in toom te houden of speel met de transparantie door met semidoorschijnende kleding-stukken laagjes op te bouwen (maar voeg daar wel wat glitters en wol aan toe voor een mooie balans).

Susie Lau | Style Bubble
Londen, Verenigd Koninkrijk

apegapen met agaat
"Deze look draait helemaal om mijn Brook & Lyn-ketting van agaat, die zo gaaf is dat hij een suffe, slechte outfit kan redden. Dit rokje van ASOS BLACK weerspiegelt de vorm van de stenen."

think pink
"Deze trui is net een grote Prada-knuffel! Zo kan ik
in de winter blijven lachen. Met een wollig rokje,
een felle zonnebril, blauwe kniekousen en lichte
schoenen was mijn roze, pluizige missie geslaagd."

schemerige laagjes
"Deze look is een ode aan een combinatie die ik in
een etalage zag. Ik draag een doorschijnend T-shirt,
een pastelgroene overgooier, een metallic jurkje,
een dunne broek en een kanten riem."

LAARZEN
welke kies jij?

klassiek kniehoog
Als je 'm draagt met een jurkje of rok, laat dan altijd een streepje been of kous zien.

slobberig
Een losse, rimpelige schacht voor een casual-chique en bohemien look.

cuff
De kleine omslag is een elegante knipoog naar de stijl van de Drie Musketiers.

sneaker
Een informele, verrassende stijl met veters tot de knie.

rijlaars
Geraffineerde vorm met slanke schacht. Staat iedereen, welk figuur je ook hebt.

geveterde rijlaars
De veters maken deze laars informeler dan de gewone rijlaars.

harnas
Een mix tussen een cowboy en een biker boot, met bandjes en een metalen ring.

biker
Take a ride on the wild side met deze stoere, zwarte leren laarzen met gespen.

cowboy
Voor stoere meiden die weten wat ze willen (of om je innerlijke cowgirl te bevrijden).

kisten
Overgenomen uit het leger. Geeft door het diepe profiel een stoere uitstraling.

wandelschoen
Vaak van leer of scheurvrij katoen. Geschikt voor avontuurlijke meiden.

werkschoen
No-nonsense schoen, meestal met een stalen neus ter bescherming.

kiltie
De lip loopt onder de veters door tot aan de neus en eindigt in franjes.

Victoriaans
Reis terug in de tijd met deze dameslaarsjes met bedekte knopen en ronde hak.

slobkous
Een modieus, los stuk dat je om de schacht van je laars kunt gespen.

moonboot
Geïsoleerd en waterdicht voor wandelingen in sneeuw en kou.

klomp
Klassieker, maar iets ongewoner dan zijn platte variant. Soms lomp bij dunne benen.

rubber
Geeft een modderige zomer- of papperige winterdag een landelijke vibe.

halve sleehak
Met deze comfortabele laars sta je met je voet net iets boven de plassen of natte sneeuw.

verscholen sleehak
Voegt stiekem wat lengte toe aan je benen, zonder dat er veel van te zien is.

sleehak
Hedendaags model. Net zo sexy als een stiletto, maar wel een stuk praktischer.

omslag
Een omgevouwen stuk leer geeft een gelaagde uitstraling.

overknee
Trekt aandacht naar je heupen. Draag met lange sokken en een kort rokje.

convertible
Alsof je meerdere modellen tegelijk koopt! Rits stukken af voor de afwisseling.

achterkant geveterd
Een licht middeleeuws getinte, platte laars. Leuk met je spijkerbroek erin.

uitsnedes
Een patroon van uitsnedes laat kleine stukjes huid (of een gekleurde panty) zien.

huarache
Gevlochten leren strips creëren een ademend effect met een leuke structuur.

laag
De meest pure vorm, laag genoeg om je broek niet in de weg te zitten.

Chelsea
Het elastiek zorgt voor een mooie pasvorm. Beroemd door The Beatles.

shoe
Moderne cowboylaars, tot enkelhoogte. Gebaseerd op mannenmode.

open flat
Een simpele, platte laars met een open neus is toch speels.

desert
Plat, enkelhoog laarsje met veters, vaak gemaakt van suède.

veter
Een klassieke enkellaars met veters. Basic met een subtiel randje.

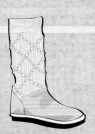

gebreid
Gezellige laarzen met een stevige zool zodat je er ook mee naar buiten kunt.

sok
Laars met gebreide, rekbare band, vastgenaaid aan de binnenkant.

mocassin
Waan je een indiaanse prinses met deze winterse variant op de lage mocassin.

mukluk
Old-skool Inuïtlaars die is overgenomen door winterproof fashionista's.

schapenvacht
Niets isoleert beter dan een natuurlijke, wollen voering. Een zachte, plompe vorm.

plateau
Erfstuk uit discotijdperk. Kies gestroomlijnd en modern, of lomp en retro.

gogo
Laat het vinyl glanzen als je danst op oude Motown-hits. Draag met een mini-jurkje.

hak
Beenverlengend alternatief voor kleine meiden die iets groter willen zijn.

stiletto
Een spijkerachtige, dunne hak die de traditionele laars wat extra flair geeft.

sluitingen
Het gekke neefje van het Romeinse sandaaltje. Heeft iets van de gladiator-stijl.

lieslaarzen
Een nauwsluitende, superhoge laars die elke look badass sex-appeal geeft.

Ti-Ta-Tokio

Ik ontdekte de Miu Miu-laarsjes die ik hier draag, toen ik in Tokio was – mijn lievelingsstad, en de beste plek om te shoppen ooit. Japanse ontwerpers hebben mij veel geleerd over esthetiek; de kleren zijn zo vooruitstrevend en origineel. Daarnaast is Tokio de beste plek om mijn andere altijd groeiende collectie uit te breiden: Japans speelgoed!

big time schoenenfetisj

Ik vind dat schoenen minikunstwerkjes moeten zijn en ik heb een aantal schoenen die ik echt kunst kan noemen. Toen ik schetsen maakte voor mijn eigen schoenencollectie (zie de schoenen die in de boom hangen), haalde ik inspiratie uit mijn eigen kast. Ik raakte geïnspireerd door Chanel-booties met strik, roze veterlaarzen van Prada en bruine sleehakken van Marni. Ik ben vooral een fan, daarna pas designer.

stijl komt terug

Toen ik aan het brainstormen was voor mijn schoenencollectie, keek ik vaak naar fragmenten uit *Dynasty*. Ik ben gek op versieringen met drukke details zoals pailletten, strikken, schoudervullingen en draperieën. Ik ben ook fan van *Twin Peaks* en dat komt goed terug in deze look. Het te grote vest en de verzadigde kleuren creëren een huiselijke look die zo uit een productie van David Lynch uit begin jaren 90 lijkt te komen.

do it yourself

Badass Booties

Jane Aldridge | Sea of Shoes | Dallas, Verenigde Staten

Ik heb deze look gemaakt naar aanleiding van
een schoenenlijn die ik heb ontworpen voor
Urban Outfitters. Ik wilde wat van mijn inspiratie laten zien, dus droeg ik mijn favoriete
schoenen – deze toffe Miu Miu-enkellaarsjes
van zachte suède, bedekt met zwierige lijnen
van studs – een schilderachtige Dries van
Noten-jurk, een lang vest en een riem met
de kop van een ram als sluiting.

ACCESSOIRES

HANDTASSEN
welke kies jij?

foldover clutch
Klein en soepel, met handgreep. Vouw hem open om 'm aan het handvat te dragen.

frame clutch
Dit basismodel van de clutch heeft vaak een knip als sluiting.

pouch
Vaak van zijde of satijn. Groot genoeg voor je must-haves bij een avondje uit.

mof
Je spullen passen in de zakjes tussen de voering en je handen blijven warm!

tapijt
Rond 1900 bedacht: een tas van stukken tapijt. Stevig, goedkoop en makkelijk.

dokterstas
Deze tas geeft een outfit een professionele maar vintage uitstraling.

attaché
Je werktas kan best een *statement piece* zijn. Zoek apart materiaal of leuke details.

bowling
Veelzijdige sportieve tas, gemaakt van stevig materiaal zoals leer of zeildoek.

Birkin
Geeft een professionele en modieuze uitstraling. Modern en weloverwogen.

soepel
Een functionele tas voor in je vrije tijd. Een ver neefje van de Birkin.

chain bag
Je ziet deze metalen band vaak in combinatie met een elegant, gewatteerd tasje.

baguette
Deze tas is langer dan dat 'ie hoog is. Hangt leuk aan je onderarm.

halve maan
Door de gebogen, gracieuze vorm lijkt deze tas op een halve maan.

hobo
De korte schouderband en soepele tas horen bij een gipsy outfit.

trekkoord
Rugzakachtige tas met een sluiting aan de bovenkant.

zadeltas
Deze tassen zijn geïnspireerd op de cowboycultuur die in de jaren 70 opkwam.

handwerk
Het leer is bewerkt met een organisch patroon waardoor de tas er uniek uitziet.

medicijn
Dit zakje is precies groot genoeg voor geneeskrachtige kruiden – of een gsm.

mand
Het design met het geweven leer en hout is geïnspireerd op oude ambachten.

riet
Natuurlijk materiaal, open structuur en ruime binnenkant: perfect voor de zomer!

wristlet
Met een klein bandje kun je deze clutch-achtige tas losjes aan je pols laten hangen.

envelop
Door de platte vorm en de flap het evenbeeld van een papieren envelop.

minaudière
Een avondclutch van hard materiaal dat vaak is versierd met glimmertjes.

doos
In de jaren 50 ooit gemaakt van doorzichtig materiaal. Vrouwelijk en modern.

beauty case
In dit retrokistje kun je make-up of andere delicate spullen veilig vervoeren.

camera
Waarom zou je je cameratas niet gebruiken als een gewone, leuke tas?

dome
Rechthoekige koffer met ronde hoeken, platte bodem en korte handvatten.

hoedendoos
Deze vorm geeft je een retro en elegante uitstraling, ook al zit er geen hoed in.

take-away
Vette knipoog naar een afhaaldoosje. Vaak van satijn in een felle kleur.

rond
Ontworpen voor een moderne look. Combineer met een simpele outfit.

tote
Een klassieke alles-drager, te gebruiken voor de sportschool, markt of supermarkt.

shopper
Door de schouder-band houd je je handen vrij om door de rekken te snuffelen.

rugzak
Stevig door de twee schouderbanden. Een klassieker; zowel old-skool als high style!

sling
Draag je als een rug-zak, maar heeft slechts 1 brede schouderband.

heuptasje
Stop je spullen in dit leuke heuptasje. Handig als je je handen vrij wilt houden!

bucket
Een ruime tas met de meest basic vorm die er is. Passen al je spullen in.

plat
Een dun, plat tasje dat je schuin over je lichaam draagt. Erg handig voor op reis.

hipster
Meestal versierd en gemaakt van wol, kleurige stoffen of patchwork.

vismandje
Rieten mand met leren details en een foldover top met een gesp.

ransel
Ontworpen voor mili-taire uitrusting; kan tegen een stootje. Leuk met emblemen.

messenger
Rechthoekige tas met brede, gevoerde band die het fijnst draagt op je rug.

weekend
Groot genoeg voor al je benodigdheden voor een weekendje weg.

duffel
Een cilindrische, zachte tas. Zowel in reisformaat als in miniformaatjes.

versierd met rozen
Koop of maak zijden bloemen en lijm of naai
ze langs de rand van je clutch.

parelsnoer
Haal een parelsnoer onder de flap door en
draag 'm schuin over je schouder.

oorknopjes
Maak dit vrouwelijke model wat stoerder door
oorknopjes door de flap heen te prikken.

CLUTCH REMIX

Elk meisje zou een basic clutch moeten hebben. Hoe je 'm ook draagt – strak langs je
lichaam of juist goed in het zicht – met *arm candy* maak je je outfit altijd spannender.
En daarnaast, het is de makkelijkste manier om zo min mogelijk spullen mee te nemen
met zo veel mogelijk stijl. Natuurlijk zul je slim moeten 'inpakken' en, nog belangrijker;
je moet hem niet in de taxi laten liggen.

gestrikt
Naai of lijm een satijnen lint in je clutch om 'm te veranderen in een wristlet.

blits met een rits
Geef je clutch een rauw uiterlijk door er ritsen op te zetten (met lijmpistool zo gepiept).

get a grip
Sluit de flap van de clutch over een ronde ketting voor een simpel handvat.

clutch
Deze schattige tasjes zijn in elke stijl, vorm en kleur te koop. Doe eens origineel en kies er een in een unieke stof zoals brokaat of met een aparte vorm zoals een driehoek. Zolang je telefoon, portemonnee en sleutels er maar in passen.

do it yourself

KUBUS-TAS

Clara Campelo | Zebratrash | Rio Branco, Brazilië

Dit kubusvormige tasje was een cadeau van mijn
peettante. Het heeft een kettinkje, dat ik ook kan
dragen als armband, en het is gemaakt van geblokt
leer. Er zitten zo veel verschillende kleuren op,
dat ik 'm overal bij kan dragen en dan is het nog
steeds de grootste *eyecatcher* van mijn outfit.
Ik ben gek op het onconventionele design,
het is echt een artistieke creatie.

oververhit minimalisme

Mijn creativiteit wordt bepaald door de natuur,
want waar ik woon, is het erg warm. Daardoor
ben ik een minimalist: kleine accessoires zoals
het tasje, de paarse zonnebril, het gestreepte
hoedje en de felle nagellak maken een outfit
compleet als je niet veel kunt dragen. De oorbel is een hangertje dat ik aan een haakje heb
gedaan. Ik draag er maar een, waarom zou je
er per se twee moeten dragen?

wasdag

Deze zijden broek is niet altijd gekreukeld, maar bij
deze look dus juist wel. Ik vind het leuk dat hij er door
de kreukels een beetje trashy uitziet. Daarnaast was
deze broek van mijn zus, en zij woont nu in Spanje,
dus hij doet me aan haar denken. Ik heb hem vernaaid
zodat hij me past, maar ik heb extra stof aan de
achterkant laten zitten, dat is weer eens wat anders.

mode en architectuur

Deze outfit met al die verschillende stoffen en kleuren doet me denken aan gebouwen die spiegelen of door middel van weerkaatsend buitenlicht illusies creëren, zoals de kleuren op Frank Gehry's Hotel Marqués de Riscal in Elciego in Spanje. Of de glimmende platen van het Guggenheim Museum in Bilbao, ook in Spanje. De broek en de kubus reflecteren kleine beetjes licht en het topje heeft ook een gevlekt patroon. Volgens mij zijn deze stoffen en vormen heel erg eighties en daar ben ik gek op!

KETTINGEN & ARMBANDEN

welke kies jij?

parels
Geeft de illusie van een dure, stijlvolle erfenis (zelfs als dat niet zo is).

spang
Een stevige, stijve ring met een open achterkant. Rust op je sleutelbeen.

choker
Zit strak om je nek en geeft een sexy uitstraling. Vaak van lint bezet met juwelen.

kabel
Grove schakels vormen een stoere ketting waarmee je een statement kunt maken.

touw
Deze superlange sliert kun je twee of drie keer om je nek slaan.

gelaagd
Het lijken meerdere kettingen, maar ze komen samen in één sluiting.

franje
Delicate, hangende franje geeft je een artistieke en gewaagde uitstraling.

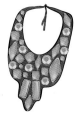

geweven
Gevlochten of gedraaide strengen van metaal of stof zijn hippie chic en sierlijk.

lariat
Een dubbelgeslagen streng die je met een lus om je hals vastmaakt.

kralen
Meestal een vintage, kitscherig pronkstuk, gemaakt van grote, dikke kralen.

bib
Een gedecoreerd stuk stof dat een groot deel van je hals bedekt.

hanger
Je kunt een edelsteen of bedel om je nek hangen aan een ketting of koord.

drop
De verlenging vormt een Y-vorm die vrolijk over je sleutelbeen bungelt.

camee
Een portretje gekerfd in een stukje schelp, of (edel)steen, creëert een dromerig beeld.

naam
Hanger in de vorm van een naam, titel of statement. Trashy met een knipoog.

zakhorloge
Dit klokje bungelt aan een lang koord om je nek. Een karakteristiek juweeltje.

verzameling
Verzamel een paar bedeltjes en hangers en voeg ze samen aan een ketting.

kralen met ruimte
De kralen blijven op hun plek met een knoop waardoor ze niet verschuiven.

medaillon
Staat voor liefde en sentiment. Binnenin kun je een foto naar keuze stoppen.

tennis
Dit icoon heeft een eindeloze rij met glimmende diamantjes.

slavenarmband
Een armband met scharnier kan net iets strakker dan een armband die je omschuift.

ID
Een naamplaatje geeft je armband een persoonlijke touch.

schakel
Valt soepel om de pols door aaneensluitende schakels in willekeurige vorm.

bangles
Met een setje rinkelende armbanden om je pols hoort iedereen je aankomen.

filigraan
Een stijlvol stuk met een delicaat, rank patroon. Vaak van zilver.

Jane Aldridge | Sea of Shoes
Dallas, Verenigde Staten

bedel
Hang alle bedeltjes die je op je reizen hebt verzameld aan deze armband.

strengen
Strengen van verschillend of hetzelfde materiaal; met één sluiting verbonden.

wikkel
Kun je enkele keren om je pols wikkelen voordat je 'm vastklikt.

brede manchet
Een opvallende armband die is geïnspireerd op een harnas. Doet Egyptisch aan.

manchet
Een stijf model dat zich om je pols krult. Zoek onverwacht materiaal zoals kunststof.

gehamerd
Metaalbewerkingstechniek waardoor kleine, reflecterende deukjes ontstaan.

klem
Een spiraal of klem die beter om je bovenarm past dan om je pols.

geveterd
Meestal van stug leer. Een beetje Oud-Romeins en een beetje rock 'n roll.

geometrisch
Een armband met harde hoeken kan een scherp randje aan een outfit geven.

Keltisch
De traditionele geweven band met knoop staat symbool voor eeuwigheid.

veiligheidsspelden
Dit gebruiksvoorwerp wordt zomaar leuk door er elastiek en kraaltjes aan te rijgen.

gevlochten
Neutrale kleuren en natuurlijke materialen geven je een relaxte uitstraling.

De octopus vertelde me schuine moppen

Jane Aldridge | Sea of Shoes | Dallas, Verenigde Staten

Mijn moeder en ik hebben een grote collectie sieraden met een dieren-thema. Dus toen ik deze octopus-ketting zag (van de Parijse ont-werper Hanna Bernhard) werd hij meteen een obsessie. Als je deze ketting draagt, heb je verder niets nodig. Ik ben dol op de uitbundige, gedetailleerde patronen en speelse tentakels.

onderwaterwereld
Ik ben verliefd op de onderwaterwereld; daarom heet mijn blog *Sea of Shoes*. En ik ben geobsedeerd door de arapaima, een van de grootste zoetwatervissen van de wereld. Zijn grote schubben hebben een rode gloed. Daardoor ziet deze vis er mysterieus en krachtig uit. En ook heel prehistorisch. Ik droom er vaak over. Het zou zo tof zijn om een sieraad te hebben van een arapaima.

West-Afrikaanse inspiratie

Deze ketting doet mij denken aan het symbolische gebruik van dieren in de Afrikaanse kunst. Daarin zijn dieren karakters met een eigen verhaal. De ketting is zo groot dat hij lijkt op een onderdeel van een ceremonieel kostuum. De vele details doen me denken aan stukken van de Yoruba-stam, zoals deze kroon of dit kussen.

vis op een schaaltje

Doordat deze ketting zo groot is, maakt hij mijn hele outfit en daarom wilde ik de rest van mijn kleding relatief rustig houden. De simpele vorm en stof van deze rood-oranje jurk van Jelly Garcia bleek er perfect mee te combineren. Daarbij draag ik een gouden bandeautop met pailletjes, die goed past bij de structuur van de steentjes in de ketting, en schoenen van Gucci (waar ik helemaal gek op ben).

Tuuli Jurgenson | Fallie's Scrapbook
Tartu, Estland

Chantal van der Meijden | Cocorosa
New York, Verenigde Staten

Sigurbjorg Stefansdottir | Sibba Stef
Kopavogur, IJsland

Ilanka Verhoeven | Fashionnerdic
Rotterdam, Nederland

Jane Aldridge | Sea of Shoes
Dallas, Verenigde Staten

Sandra Hagelstam | 5 Inch And Up
Londen, Verenigd Koninkrijk

Aurélia Scheyé | Fashion Is a Playground
Parijs, Frankrijk

Andrea Bomo | Paris Most Wanted
Parijs, Frankrijk

draagbare kunst
SIERADEN

Til een gemiddelde outfit naar een hoger niveau door het dragen van de juiste sieraden. Van superdunne kettinkjes tot stoere plastic-meets-tribal stukken. Van jaren-70-veren tot waanzinnige cocktailringen; je kunt allerlei opvallende materialen combineren voor een interessante uitstraling of gebruik één enkel stuk om minimalistisch te sprankelen.

RINGEN & OORBELLEN

welke kies jij?

glad
Simpel en makkelijk. Kan ingegraveerd worden met een versiering of boodschap.

doosje
Een rechthoekige steen in een vatting (een hoge rand waar-in de steen ligt).

mozaïek
Een robuuste ring met een geometrisch design van stukjes steen of glas.

bloesem
Sierlijk en lief. Het hart van de bloem is vaak een piepklein, glinsterend steentje.

solitair
Tijdloos. Kies voor een verrassende steen om verlovings-roddels voor te zijn.

railzetting
Edelsteentjes flon-keren vanuit een groef in de ring. On-volprezen elegantie.

verzameling
Dun of juist stevig. Met glimmertje of juist zonder. Koop ze als set of mix zelf.

bestrooid
Een brede band met ongelijk verdeelde (edel)stenen. Mooi dramatisch effect.

dome
Bolle ring met een koe-pelvorm aan de boven-kant. Gezien in metaal, hout en plastic.

cluster
Ring met een cluster (edel)stenen. Soms bungelen ze zelfs!

ovaal
Ovale steen in zilve-ren klem of vatting. Heeft een ietwat antieke uitstraling.

knuckle
Deze ring is zo groot dat hij over je knok-kel valt. Arty en een beetje intimiderend.

double finger
Een dunne metalen strook verbindt twee vingers met elkaar. Stoer maar delicaat.

spiraal
Veel gezien in de vorm van een slang, touw of vlecht. Geeft een gestapeld effect.

cocktail
Deze maffe, over-dreven ring hoort bij cocktailfeestjes, maar is bij elke look apart!

scarabee
Dit symbool komt uit het oude Egypte en staat voor bescher-ming en geluk.

zegel
Gegraveerde ring, ooit bedoeld om de echtheid van docu-menten te markeren.

cartouche
Ring met Egyptische symbolen en hiëro-gliefen. Een soort antieke zegelring.

ring armband
Simpele ring die verbonden is met sierlijke kettinkjes. Middeleeuws effect.

knoop
Een ronde vorm, net wat groter dan een knopje. Meestal van email of edelmetaal.

chaton
Deze knopjes geven je oren een subtiele, smaakvolle glinstering.

chandelier
Kralen of edelsteentjes bungelen in laagjes en geven een speels effect.

drop
Een grote bedel of steen hangt aan een kettinkje met versiersels.

girandole
Een Frans ontwerp: een grote steen met daaraan drie hangertjes.

clip
Voordat je definitief aan oorbellen vastzit, kun je dit model proberen.

schijf
Een draadje met een platte, ronde hanger. Je ziet deze veel van hout en metaal.

ring
Een ronde oorbel in verschillende formaten die bij vele stijlen past.

zigeuner
Een ring zit vast aan een knopje zodat de opening van de cirkel naar voren wijst.

captive bead
Een smal ringetje met een klein knopje als sluiting. Is niet alleen voor in je oren!

klem
Klemt om het kraakbeen van je oor. Alternatief als je geen gaatjes hebt.

zwierig
Casual of netjes gekleed, deze lange oorbellen trekken altijd de aandacht.

gestapeld
Kralen geven je outfit een bohemian of kunstzinnige uitstraling. Maak ze zelf!

spijker
Met deze oorbellen maak je elke look stoerder en een tikkeltje moderner.

doortrek
Een delicaat draadje dat zo gevormd is, dat het vanzelf in je oor blijft hangen.

tunnel
Een open cilinder zorgt ervoor dat je gaatje langzaam wijder wordt.

gek
Met kleine oorknopjes voeg je iets geks aan je outfit toe, zonder te overdrijven.

OORBELLEN
REMIX

Iedereen heeft minstens één gewaagd *in-your-face*-sieraad nodig dat elke outfit onweerstaanbaar maakt. Deze superlange gevederde oorbellen doen dat, of je ze nu als paar draagt met een giletje van dezelfde structuur en een heuptasje, als enkel stuk om je scheve paardenstaart tegenwicht te bieden, of om een supergirly look iets meer pit te geven.

Michelle Haswell | Kingdom of Style
Londen, Verenigd Koninkrijk

Mad Max style
"Dit is voor mij een hele alledaagse look,
ik draag hem tijdens het boodschappen doen.
Het heuptasje en de veren oorbellen
compenseren de wat saaie spijkerbroek."

zó 1989
"Ik droeg dit op mijn verjaardag. Ik werd 37
en we gingen naar een old-skool rockcafé,
vandaar die kisten, het leer, de veren en
asymmetrische details."

schattig, maar niet té
"Ik verken mijn vrouwelijke kant met deze look.
Strikjes en roze zijn niet echt mijn ding, maar
soms moet je je buiten je comfort zone begeven.
De oorbel geeft het een iets ruigere touch."

BRILLEN
welke kies jij?

klein en rond
Nerdy maar hip. Bekend van John Lennon. Past bij hartvormige gezichten.

half montuur
Het onderste deel van het montuur ontbreekt; past goed bij een delicaat gelaat.

clip-on
Beschermt tegen de zon en is tevens erg jaren 80. Draag je over een gewone bril.

aviator
Van plastic of metaal, een echte zomer must-have. Past bij vierkante gezichten.

Wayfarer
Bescheiden en heel erg cool. Staat goed bij ovale en hartvormige gezichten.

shield
Een bril met maar één groot glas. Geeft een basic outfit een moderne twist.

panoramisch
Het grote glas beschermt je ogen ook aan de zijkant. Is zowel chic als sportief.

ovaal
Heeft een celeb-uitstraling. Redelijk groot, maar past ook bij kleine gezichten.

groot en rond
Deze glamorous zonnebril brengt een gezicht met rechte hoeken in evenwicht.

vlinder
Loopt vanuit het midden breder uit. Staat goed bij ovale en hartvormige gezichten.

ronde cat eye
Het montuur loopt opwaarts in een lichte punt. Flatteert smalle gezichten.

hartvormig
Een bril met een knipoog waardoor je look er minder serieus uitziet.

hoekige cateye
Een cateye-model dat scherp genoeg is voor ovale of ronde gezichten.

geometrisch
Gekke zonnebril die alle aandacht trekt. Op en top breakdance-stijl!

trapezium
Deze glazen zijn aan de onderkant wat smaller. Staat goed bij ronde gezichten.

flat top
Een van boven recht montuur maakt deze zonnebril een tikkeltje hiphop.

langwerpig
De ultieme nerdychique bril, vooral met zwart plastic montuur.

groot en vierkant
Ronde gezichten kunnen wegkomen met deze ultragrote, maar hoekige bril.

Anna Bu | Bu The Right Thing | Hannover, Duitsland

nette nerd

Hier combineer ik stijlvolle, glossy kledingstukken met bijzondere, androgyne onderdelen om deze nerdy outfit iets sexyer en 'af' te maken. Deze langwerpige zwarte bril en de witte blouse worden glamorous in combinatie met een zwart ballonrokje (mijn lievelings), een zwarte legging en tweedehands spectator hakken (ik was zó blij toen ik ze vond!).

ode aan dé man

Een vriend van me noemt mij voor de grap madame Lagerfeld vanwege mijn voorliefde voor de combinatie van zwart en wit. Deze look is dan ook een ode aan Karl Lagerfeld.

erfgoedaccessoires

Ik weet nog dat mijn moeder dit vestje droeg toen ik klein was en dat ik die kraaltjes superfascinerend vond. Deze cameo heb ik van mijn oma gekregen en ook al heb ik er een oorbel van gemaakt, ik draag 'm het liefst vastgespeld op mijn kleren. Het lint is een satijnen ceintuurtje dat bij een oude blouse van mij hoorde. Ik vind dat het lint en de hanger goed bij elkaar passen; ik gebruik ze nu allebei voor iets waar ze niet bestemd voor waren.

do it yourself
BIBLIOTHECARESSE CHIC

Tahti Syrjala | Cork, Ierland

Ik draag graag opvallende brillen; ik moet ze toch dragen, dus dan kan ik er net zo goed een statement mee maken! Ik draag deze hoekige, zwarte Tommy Hilfiger-bril om de dag. Als ik sombere, serieuze outfits draag zoals deze, heb ik het gevoel dat ik me beschaafd en afstandelijk moet gedragen (misschien om iemand de mond te snoeren?!), maar dat duurt vaak niet erg lang: ik vind vrolijk zijn veel te leuk!

must-have
ZONNEBRIL

Van spiegelende aviators tot
snoepkleurige plastic monturen, van
dramatische vlinderbrillen tot monturen
van hoorn; alles kan in de wereld van de
zonnebril. Als je investeert in een duur
exemplaar, zorg dan dat je zeker weet dat
hij de vorm van je gezicht flatteert, past
bij verschillende outfits en ervoor zorgt
dat je je elke keer als je 'm draagt een
filmster voelt. (Of je nou speelt in een
actiefilm, thriller, chickflick of klassieker,
dat is jouw keuze.)

Raez Argulla | Cheap Thrills
Winnipeg, Canada

Cindy Ko | Cindiddy
Hong Kong, China

Maria Confer | Lulu Letty
Court Brighton, Verenigde Staten

Alexandra Pereira Romero | Lovely Pepa
Vigo, Spanje

Marianne Theodorsen | Styledevil
Oslo, Noorwegen

Jessica Virgin | Vintage Virgin
Montrose, Verenigde Staten

Laura Allard-Fleischl | Luna Supernova
Auckland, Nieuw-Zeeland

Iris Gravemaker | Fashion Zen
Hilversum, Nederland

HOEDEN
welke kies jij?

cadet
In militaire stijl. Erg praktisch door de platte bovenkant en korte, stijve klep.

baseball
Deze verstelbare, sportieve pet komt uit de Amerikaanse sport baseball.

newsboy
Van stroken stof met een knoopje bovenop. Een versie van tweed is lekker warm.

vissers
Dit zachte, opvouwbare hoedje is perfect tijdens het reizen.

soepel
Draag bij een bloemenjurk en hoge laarzen voor een seventies look.

cowboy
Afkomstig uit West-Amerika. Heeft een brede rand tegen de felle zon.

fedora
Heeft een deuk en een korte rand. Werd oorspronkelijk gedragen door vrouwen!

porkpie
De korte, platte 'kroon' en een smalle rand geven een outfit een speels karakter.

zonneklep
De klep beschermt je ogen tegen de zon. Heeft aan de achterkant alleen een band.

bolhoed
Geïntroduceerd rond 1850, onsterfelijk gemaakt door Charlie Chaplin.

hogehoed
Een dandy hoed die moeilijk te dragen is. Wees moedig en creatief.

pillbox
Een net, plat hoedje dat in de jaren 60 een high-fashion-status had.

beanie
Deze strakke muts is over het algemeen gebreid en houdt je hoofd lekker warm.

boule
Een mix tussen een cloche en een beanie. Meestal gemaakt van gemodelleerd vilt.

tulband
Ook kant en klaar te vinden zodat je 'm makkelijk op en af kunt zetten.

trapper
Leren of flanellen muts gevoerd met bont. Handig voor op de slee.

chullo
Een vrolijke, gekleurde winterse muts uit Peru of Bolivia.

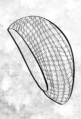

netje
Een stoffen of gehaakt netje om een glamorous kapsel te beschermen.

fascinator
Een heerlijk frivole accessoire die je met speldjes in je haar vastmaakt.

sculptuur
Er is niets mooiers dan een klein kunstwerk op je hoofd.

gesluierd
De sluier is zowel gothy als glamorous, afhankelijk van je eigen stijl.

trucker
Is luchtig door de
gazen achterkant.
De voorkant loopt
iets omhoog.

ivy cap
Een bijna platte pet
met stof tot op de
klep. Geeft een
tomboy-effect.

bibi
Ondiep hoedje, vaak
met versiering. Hoort
een beetje scheef op
je hoofd te staan.

baret
Deze zachte,
volumineuze Franse
pet is tegelijkertijd
grappig en serieus.

cloche
Een echt twintiger-
jarenhoedje. Heeft
een mooie klokvorm
en is meestal van vilt.

Funeka Ngwevela | The Quirky Stylista
Johannesburg, Zuid-Afrika

zonnehoed
Een geweven
strooien hoed, die je
gezicht beschermt
tegen de zon.

boater
Een zomerhoed met
een vlakke kroon.
Vaak in combinatie
met een lint.

bont
Of 'ie nou echt of nep
is: hij maakt een
basic outfit een stuk
landelijker.

oesjanka
Russische muts van
bont. De oorflappen
op de muts kun je
onder je kin binden.

schotel
Deze dramatische
hoed met brede rand
heeft een luxe en
koninklijke uitstraling.

FEDORA REMIX

Houd je hoofd koel en zie er chic uit met een fedora. Deze klassieker kan elke outfit meer pit geven, bij welke gelegenheid dan ook. Draag hem bij een date met je hond en je vriendje op een hete zomerdag, bij de opening van een hippe galerie of bij een luie zondagse brunch in de buitenlucht.

Aimee Song | Song of Style
San Francisco, Verenigde Staten

dagje in het park
"Deze outfit had ik aan tijdens een date met mijn vriendje en onze lieve 'zoon' Charcoal. De fedora was precies wat de bloezende top, het flirterige rokje en de stoere hakken nog nodig hadden."

arty farty
"Deze look koos ik voor een feestje in een galerie: representatief maar niet overdressed. Ik droeg dit vestje met franjes, de fedora, een zwarte top en een vintage zwart leren broekje."

zondagse brunch
"Om tegenwicht te bieden aan het vele zwart van de asymmetrische jumpsuit en zwarte sleehakken, droeg ik mijn fedora met een glitterband vlak boven de rand."

do it yourself
HET MEISJE MET DE GOUDEN BARET

Xiaoxi (Nancy) Zhang | Sea of Fertility | Berlijn, Duitsland

Deze handgemaakte hoed was een cadeautje van mijn vriendin Shan Shan. Het was de eerste herfst die ik doorbracht in Berlijn. Het was buiten zo mooi! De kleuren en de vorm van de baret pasten daar perfect bij. Ik zocht een outfit in alle kleuren van de hoed, en voegde daar een paar koele kleuren aan toe voor het herfstgevoel. De clownsschoentjes maakten de outfit wat fantasievoller.

dagelijkse kost

Ik ben illustrator en ik teken elke dag een outfit. Vaak teken ik mijn eigen look, die is geïnspireerd op een film, schilderij, gedicht of roman. (Mijn blog is eigenlijk vernoemd naar Yukio Mishima's *Sea of Fertility*-serie. Deze serie is een mix van moderne en traditionele Japanse thema's en heeft bijgedragen aan mijn persoonlijke stijl). Ik heb ondertussen zo veel van deze portretten getekend, dat ik eraan kan zien hoe mijn persoonlijke stijl zich de afgelopen jaren heeft ontwikkeld en is veranderd.

francofiele filmliefhebber

Deze muts heeft de vorm van een baret en een van de redenen dat ik die zo leuk vind, is dat hij me doet denken aan Franse New Wave-films. Ik vind Godards *Une femme est une femme* en *Vivre sa vie* te gek. Ik raak geïnspireerd door de speelse, simpele kleuren en de chique vormen die de Deense actrice Anna Karina draagt in deze films.

strepen vs. stippen

Deze outfit is onder andere beïnvloed door de schilderijen van de Oostenrijkse Gustav Klimt. Hij gebruikte veel organische vormen en patronen, en warme, decadente kleuren. De grafische strepen op het rokje en in het vestje, en de stippen op de muts lijken erg op een van zijn schilderijen. Ik laat me ook inspireren door de Japanse kunstenaar Yayoi Kusama. (Haar oranje gestippelde pompoenen lijken op mijn muts!)

RIEMEN &
HAAR ACCESSOIRES
welke kies jij?

dun
Voor een onver-
wachte kleur of het
onderbreken van een
effen shirt of jurk.

ring
Een basic stijl
die goed staat
op een jurkje
of rok.

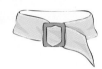

zacht
Vaak van stof of
suède. Het uiteinde
schuif je door een
open gesp.

camping
Van canvas met een
metalen schuif.
Gebruiksgemak met
scoutingrandje.

post
Een pinnetje past
door de gaatjes van
de riem. Zonder
gesp.

wikkel
Krijg een nonchalan-
te, gelaagde look met
een riem die je om je
middel wikkelt.

dubbele gesp
Draag om je taille.
Geeft het effect
van een modern
korset.

tailleband
Van breed elastiek.
Perfect om een wijde
jurk of tuniek wat
model te geven.

hoek
Stijl uit de eighties,
met een knipoog naar
superhelden. Maakt
van voren een V-vorm.

obi
Brede band die je om
je middel bindt en
vastknoopt. Hoort bij
de kimonostijl.

kralen
De handgemaakte
uitstraling van deze
riem geeft je look iets
artistieks.

dubbele ring
Haal het uiteinde
eerst door de ene
en dan door de
andere ring.

geweven
Geweven strips van
leer of macramé
voor een leuke
structuur.

grommet
De dubbele rij
gaatjes en het stiksel
geven deze riem een
military look.

studs
Metalen studs of
spikes geven een
outfit een stoere,
punky touch.

tasje
Moderne, geinige
variatie op het
ouderwetse
buideltasje.

western
Deze leren riem met
ingegraveerde
metalen plaat geeft
je een cowboy look.

schijven
Ronde leren schijven,
dikwijls met metalen
details; moet laag om
je heupen hangen.

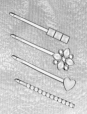

schuifjes
Ze zijn er zonder opsmuk zodat ze wegvallen in je haar, of met een versiering.

snapclip
Meestal van metaal. De kromming sluit goed aan bij de vorm van je hoofd.

patent
Een decoratieve strip verbergt de metalen clip. Zoek speciale materialen en vormen.

steekpatent
Je schuift een stokje door een gekromde speld. Staat super bij paardenstaarten.

haarvork
Dit tweebenige kammetje houdt een knotje of een wrong goed op zijn plek.

zijkam
Houdt naar voren vallend haar uit je gezicht en geeft Victoriaanse allure.

klik klak
Houdt niet veel haar vast, maar handig bij het vastzetten van losse plukken.

elastiekje
Saaie elastiekjes worden bijzonder met bloemetjes en andere decoraties.

wokkel
De stof om het elastiek beschermt je haar en geeft je een nineties uitstraling.

klem
Deze haarklem met klauwachtige tandjes heb je in grote en kleine variaties.

haarstokjes
Schuif twee stokjes schuin in je haar en ze blijven verrassend goed zitten.

strik
Een schattig kleine-meisjes-strikje geeft een serieuze look een knipoog.

veer
Dromerige accessoire. Een combinatie van landelijk en forties.

diadeem
Een hoefijzerachtige vorm die over je hoofd loopt tot achter je oren.

wrap
Bind een sjaal of stuk stof om je hoofd als een haarband.

hippie
Draag om je voorhoofd voor een meisjes-achtige look. Leuk van leer of suède.

circlet
Waan jezelf een prinses. Je draagt dit over je haar, net niet over je voorhoofd.

maang tikka
De kettinkjes van kraaltjes of schakels geven een betoverend effect.

zweetbandje
Een stretchband van handdoekstof die je een fris en sportief uiterlijk geeft.

Esther Fanai | LahLah Is Here | Delhi, India

RIEMEN
REMIX

Riemen werden oorspronkelijk
gebruikt om broeken op hun plaats te
houden, maar tegenwoordig worden
ze net zo veel gebruikt als mode-
statement. Gebruik een dun riempje
voor een onverwachte structuur bij
een zomers jurkje, voor het creëren
van meer vorm bij een jumpsuit
met drukke patronen of voor
het bij elkaar brengen van
meerdere lagen.

Constance Phillips | Constance-Victoria
Londen, Verenigd Koninkrijk

sweet child of mine
"Ik gebruikte deze riem om iets meer nadruk te
leggen op de hoge taille. Ik vind het contrast
tussen het lieve bloemenjurkje, de grove ketting
en de leren riem en tas geweldig."

slank detail
"Ik gebruikte het riempje om een smallere taille te creëren in deze vintage jumpsuit, waardoor mijn figuur er mooier in uitkomt. Daarnaast doorbreekt het riempje ook het drukke patroon."

oost, west, chic best
"Om een mix van stoffen te maken, droeg ik veel laagjes over elkaar. Daarna gebruikte ik het riempje als eyecatcher. Ik zou dit elke dag kunnen dragen, zelfs als ik nergens naartoe ga!"

do it yourself

IK HEB EEN DOOSJE.
OP. MIJN. HOOFD.

Tavi Gevinson | Style Rookie
Chicago, Verenigde Staten

Ik kreeg ooit eens een leuk cadeautje in dit doosje. Het heeft de perfecte vorm en is bedekt met smalle zwarte, bruine en gouden streepjes. Omdat het van papier is gemaakt, kon ik er een grote haarspeld doorheen prikken en droeg ik het op mijn hoofd. Het hoedje lijkt een beetje op een snoepje, dus ik baseerde mijn outfit op… drop!

snoepspiratie

De streepjes op de hoed gingen goed samen met de lijnen in de stoffen riem en de gestreepte tas. De sieraden (van ronde kralen) haalden de scherpe hoeken uit deze look en brachten hem meer in balans. Elk onderdeel in de outfit staat voor een snoepje waar ik door geïnspireerd ben geraakt – of dat nou door de kleur, vorm of het patroon was.

vrouwelijke fashion

Ik haal veel inspiratie uit tijdschriften uit de jaren 90, bijvoorbeeld uit de *Sassy* – een maandelijks culttijdschrift met veel slimme tips. Ook ben ik fan van Kathleen Hanna; zij is bekend van de feministische punk- en girlpopbands als *Bikini Kill* en *Le Tigre*. Misschien vinden mensen het raar dat iemand die om kleding geeft, zichzelf bestempelt als een feminist. Voor mij betekent het dat ik draag wat ik zélf wil. En het is best wel feministisch als een meisje dat doet!

"IT SEEMS BORING TO ME TO PURSUE THE TYPICAL IDEA OF BEAUTY, BECAUSE THAT IS THE EASIEST AND THE MOST OBVIOUS WAY TO SEE THE WORLD. IT'S MORE CHALLENGING TO LOOK AT THE OTHER SIDE."

CINDY SHERMAN

hoedenmaker Treacy

Dit hoofddeksel is geïnspireerd op hoedenmaker Philip Treacy. Zijn creaties zijn fantastisch… Deze swirly toef lijkt net een meringue. En ik ben helemaal verliefd op alles wat Rei Kawakubo doet voor *Comme des Garçons*, vooral wat hij maakte voor de najaarscollectie van 2009. Ik vind het leuk om mezelf wijs te maken dat het patroontje van de jurk en eigenlijk de gehele look verwijzen naar die collectie.

"Hoeden en andere accessoires zijn een **leuke aanvulling** op mijn outfits. Ik voelde me aangetrokken tot dit gevederde haarstuk door de **rijke kleuren,** ze doen me denken aan **herfstbladeren**."

Rebecca Stice | The Clothes Horse | Fort Monroe, Verenigde Staten

HANDSCHOENEN & SJAALS
welke kies jij?

wanten
Geven je winteroutfit een kinderlijk vrolijk, nostalgisch tintje. Lekker casual.

gebreid
Zacht en soepel, met geribbelde structuur. Helpt goed tegen de kou.

combinatie
Vingerhandschoen met extra kap zodat je hem ook als want kunt gebruiken.

polswarmers
Soort koker met duimsgat. Verwarmt pols en knokkels, en houdt je vingers vrij.

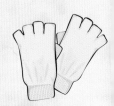

vingerloos
Klassieker voor stoere meiden. Mooi in leer of kant.

lang
Dit toppunt van elegantie komt tot over de elleboog. Probeer fluweel of satijn.

knokkelwarmers
Bedekken alleen je knokkels. Supergaaf, maar niet erg warm.

boogje
Laat pols vrij zodat je nog een beetje huid ziet tussen mouw en handschoen.

veter
De veter geeft de handschoen een aparte touch, net als de veter in een korset.

auto
De perforatie en de opening bovenop geven bewegingsruimte en ventilatie.

half
Deze halve versie bedekt je vingers en knokkels en laat je pols bloot.

polsbanden
Geven een feestelijk, luxueus gevoel, of ze nu los zijn of aan je jas vastzitten.

ajour
Verfijnd model met een mooi open patroon. Voor een chique picknick.

ski
Dikke handschoenen met een isolerende laag. Ideaal voor sneeuwballen gooien!

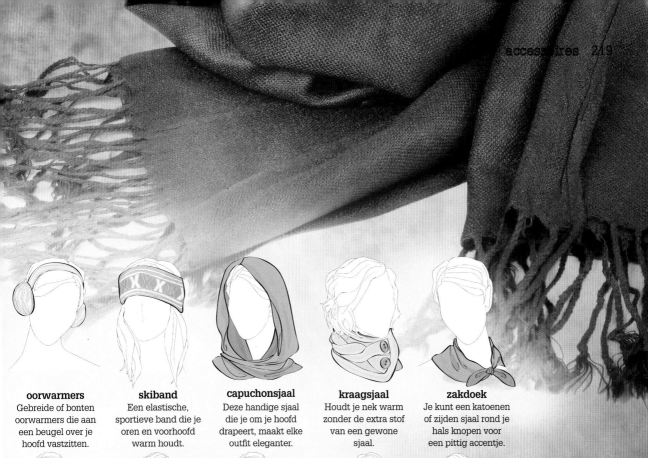

oorwarmers

Gebreide of bonten oorwarmers die aan een beugel over je hoofd vastzitten.

skiband

Een elastische, sportieve band die je oren en voorhoofd warm houdt.

capuchonsjaal

Deze handige sjaal die je om je hoofd drapeert, maakt elke outfit eleganter.

kraagsjaal

Houdt je nek warm zonder de extra stof van een gewone sjaal.

zakdoek

Je kunt een katoenen of zijden sjaal rond je hals knopen voor een pittig accentje.

tunnel

Een ronde sjaal die je vaak ook dubbel omslaat. Supercomfortabel!

steeksjaal

In de sjaal zit een gat waardoor je het andere eind trekt, zodat het goed blijft zitten.

pompoen

De grappige pompoenen geven een speels tintje aan deze warme sjaal.

franjes

Rafels of franjes aan het uiteinde kunnen er chic maar ook nonchalant uitzien.

boa

Een veren of bonten boa geeft je een uitdagende, maar toch stijlvolle uitstraling.

schouderstola

Bedekt de schouders en de bovenarmen, maar je outfit blijft goed zichtbaar!

stola

Je ziet er glamorous uit met een opvallende bontstola om je schouders.

omslag

Deze grote omslagdoek geeft een weelderige uitstraling.

shawl

Combineer een shawl met een hippe outfit zodat je niet op je oma gaat lijken.

schouderdoek

Een fijne omslagdoek die bedoeld is om elegant over een jurk of blouse te dragen.

do it yourself
High Tea Party

Roz Jana | Clothes, Cameras, and Coffee
West Midlands, Verenigd Koninkrijk

Ik heb een doos vol met prachtige vintage handschoentjes geërfd van mijn overgrootmoeder en
deze zeeblauwe zijn mijn lievelings. Ik droeg ze bij
deze jurk uit de fifties, want ze passen er qua kleur
perfect bij. Ik voegde daar deze slobberige vintage
Brettles-kousen, een parelketting en schoenen
van Topshop aan toe. Ik ben gek op high teas
met Chinees aardewerk en geweldige taartjes
en deze look lijkt daar echt bij te horen.

vintage familiestukken

Ik heb mijn voorouders leren
kennen via de spullen die ze
mij hebben nagelaten en
daarom hebben deze hand-
schoenen veel emotionele
waarde. Door onder andere de
prachtige handschoentjes van
mijn overgrootmoeder (die nu in
een sierkistje naast mijn bed liggen)
en de rokjas van mijn overgrootvader, heb ik mijn
familie beter leren begrijpen. Ik ben blij dat het
allemaal verzamelaars waren, want dankzij hen
heb ik nu een geweldige vintage collectie!

hommage aan Erdem

Deze jurk uit de jaren 50 doet me denken aan de patronen van Erdem. Hij ontwerpt prachtige, drukke prints die het verleden weerspiegelen maar tegelijkertijd digitaal aandoen, zoals vage bloemenprints. Ik ben een groot fan van zijn werk maar kan het me nog niet veroorloven. Daarom was ik superblij toen ik deze look-a-like jurk tegenkwam!

sprookjesachtige inspiratie

Bij deze look werd ik niet echt geïnspireerd door een stijlicoon, maar toch zeiden mensen dat mijn rimpelige sokken ze deden denken aan Nora Batty, een personage uit een Britse sitcom. Ik krijg veel ideeën van filmsterren als Moira Shearer (ik ben gek op de film *The Red Shoes)* en sprookjes van Hans Christian Andersen, zoals *De prinses op de erwt.* Soms maak ik zelfs complete outfits gebaseerd op kinderverhalen. Literatuur is zo'n grote inspiratiebron!

SJAAL REMIX

News flash, sweeties: een sjaal is niet alleen voor om je nek. Dit stukje stof kun je op tig manieren dragen; of het nu een onverwacht extraatje is of op zichzelf staat. Kies een sjaal waar je gek op bent en bedenk de mogelijkheden: is hij groot genoeg om te dragen als haltertop of is hij klein genoeg om hem om je pols te dragen? Begin dan meteen met spelen!

elegante obi
Vouw de sjaal dubbel en bind hem om je middel. Steek de losse eindjes eronder weg.

hippie haarband
Bind de sjaal om je hoofd en laat de uiteinden hangen voor een moderne bohemian vibe.

gevlochten of gedraaid
Geef je sjaals een nieuw leven door verschillende in elkaar te draaien.

sjaal met franjes

Een sjaal van wolmix met franjes is erg basic en biedt veel mogelijk-heden. Want wat is er nou veelzijdiger dan een rechthoekig stuk stof? Denk er wel om dat je soms eerst even moet oefenen met wikkelen, draperen en spelden voordat je je onder het publiek begeeft.

los maar vast

Geef een strakke outfit extra volume: hang de sjaal om en zet 'm vast met een riempje.

moderne sarong

Bind de sjaal om je middel en speld de uiteindes artistiek aan elkaar vast.

toga topje

Bind de sjaal om je bovenlijf met een strook over je schouder. Maak achterop vast.

"Deze Spaans aandoende **vintage sjaal** is oma-achtig genoeg om cool te zijn en ik kan 'm op een **miljoen manieren** dragen."

Sandra Hagelstam | 5 Inch and Up | Londen, Verenigd Koninkrijk

ONDERKLEDING

BH'S – DE BASICS

Een van de meest essentiële onderdelen van je outfit is er een die niemand ziet: je bh! Toch is een perfecte pasvorm cruciaal voor een mooi silhouet. Als je op zoek gaat naar een bh, zorg dan dat je je onderwijdte weet (gemeten om je ribbenkast, vlak onder je borsten) en je cupmaat (de omvang van je borsten zelf). Kijk voor je hem koopt ook altijd hoe een bh staat met een shirt erover.

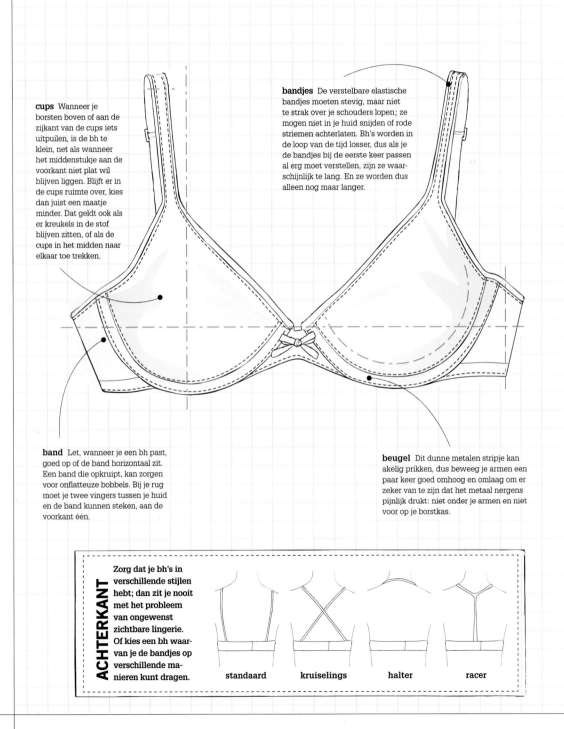

cups Wanneer je borsten boven of aan de zijkant van de cups iets uitpuilen, is de bh te klein, net als wanneer het middenstukje aan de voorkant niet plat wil blijven liggen. Blijft er in de cups ruimte over, kies dan juist een maatje minder. Dat geldt ook als er kreukels in de stof blijven zitten, of als de cups in het midden naar elkaar toe trekken.

bandjes De verstelbare elastische bandjes moeten stevig, maar niet te strak over je schouders lopen; ze mogen niet in je huid snijden of rode striemen achterlaten. Bh's worden in de loop van de tijd losser, dus als je de bandjes bij de eerste keer passen al erg moet verstellen, zijn ze waarschijnlijk te lang. En ze worden dus alleen nog maar langer.

band Let, wanneer je een bh past, goed op of de band horizontaal zit. Een band die opkruipt, kan zorgen voor onflatteuze bobbels. Bij je rug moet je twee vingers tussen je huid en de band kunnen steken, aan de voorkant één.

beugel Dit dunne metalen stripje kan akelig prikken, dus beweeg je armen een paar keer goed omhoog en omlaag om er zeker van te zijn dat het metaal nergens pijnlijk drukt: niet onder je armen en niet voor op je borstkas.

ACHTERKANT Zorg dat je bh's in verschillende stijlen hebt; dan zit je nooit met het probleem van ongewenst zichtbare lingerie. Of kies een bh waarvan je de bandjes op verschillende manieren kunt dragen.

standaard kruiselings halter racer

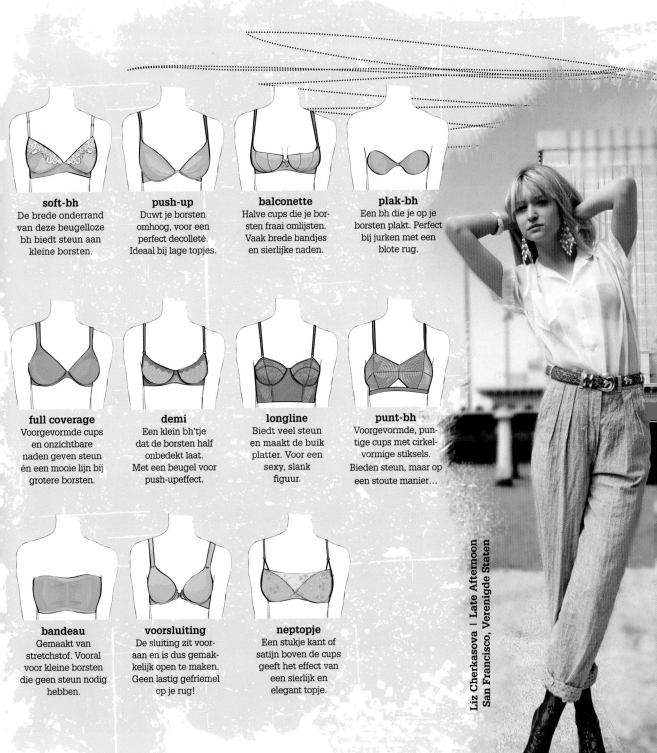

soft-bh
De brede onderrand van deze beugelloze bh biedt steun aan kleine borsten.

push-up
Duwt je borsten omhoog, voor een perfect decolleté. Ideaal bij lage topjes.

balconette
Halve cups die je borsten fraai omlijsten. Vaak brede bandjes en sierlijke naden.

plak-bh
Een bh die je op je borsten plakt. Perfect bij jurken met een blote rug.

full coverage
Voorgevormde cups en onzichtbare naden geven steun én een mooie lijn bij grotere borsten.

demi
Een klein bh'tje dat de borsten half onbedekt laat. Met een beugel voor push-upeffect.

longline
Biedt veel steun en maakt de buik platter. Voor een sexy, slank figuur.

punt-bh
Voorgevormde, puntige cups met cirkelvormige stiksels. Bieden steun, maar op een stoute manier…

bandeau
Gemaakt van stretchstof. Vooral voor kleine borsten die geen steun nodig hebben.

voorsluiting
De sluiting zit vooraan en is dus gemakkelijk open te maken. Geen lastig gefriemel op je rug!

neptopje
Een stukje kant of satijn boven de cups geeft het effect van een sierlijk en elegant topje.

**Liz Cherkasova | Late Afternoon
San Francisco, Verenigde Staten**

BEENMODE
welke kies jij?

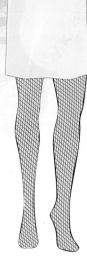

sportsok
Dagelijks gedragen, simpel en doeltreffend. Kies ademende katoen of wol.

slob
Dikke sokken met ruime boorden voor hip afzakeffect rond de enkels.

naad
Doorzichtige panty met sexy naad. Ook leuk met naad in contrasterende kleur.

netpanty
Met opengewerkt ruitjespatroon, van fijn en subtiel tot grove en sexy ruiten.

aparte teen
Verpak elke teen apart in deze grappige, gestreepte teensokken.

beenwarmer
Bij sommige looks is het een must: voor echte dansflair. Of warme kuiten.

footie
Een kort sokje dat bijna verdwijnt in je schoen. Soms met leuke versiersels.

enkelsok
Een sokje met meisjesachtige franje dat alle aandacht naar mooie enkels trekt.

duotone
Doe hip met een ondoorzichtige panty met benen in fel contrasterende kleuren.

opaak
Dunne panty die toch ondoorzichtig is. Geweldig in heldere, felle kleuren.

ajour
Een gebreide maillot
met opengewerkt
patroon. Vaak met
visgraatmotief.

fantasie
Er zijn ontelbare mo-
tiefjes: van snoezig
met stippen tot punky
met ruitpatroon.

rib
Vaak van wol.
De smalle verticale
ribbeltjes maken je
benen langer.

maillot
Zo'n wollen maillot
houdt je benen warm.
Probeer ook eens een
vrolijk stippeltjeseffect.

legging
Kies dit model als je
blote voeten wilt
houden. Staat
superleuk met flatjes.

jarretelkousen
Meestal transparant
met bovenrand van
kant. Blijven op hun
plaats met jarretels.

kniekous
Voor een preppy look
met schoolmeisjes-
stijl: kousen precies
tot aan de knie.

overknee's
Koket en uitdagend.
Mooi in stevige katoen
en gecombineerd met
minirokje of shorts.

BADMODE
welke kies jij?

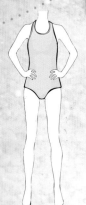

sportief
Met hoge halslijn en racerback voor onbeperkte bewegingsvrijheid.

tank
Veelzijdig en onmisbaar. Ze zijn er ook met sexy lage rug of gekruiste bandjes.

fantasie
Met leuke vintage details, zoals smalle bandjes en een hartvormige halslijn.

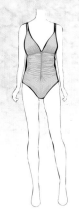

gerimpeld
De plooitjes voorop maskeren zwakke puntjes en geven je een prachtig silhouet.

pijpjes
Een model met pijpjes staat charmant als je er niet al te bloot uit wilt zien.

rokje
Flirty manier om je iets gekleder te voelen tijdens een dagje naar het strand.

strapless
Om je mooie hals te showen. Biedt niet veel steun voor de grotere cupmaten.

asymmetrisch
Eén elegante schouderband trekt alle aandacht naar je schouders en borst.

tankini
Een apart topje en broekje, maar gekleed als een badpak. Mix-and-match maar raak!

monokini
Top en broekje van dit badpak zitten nog net aan elkaar vast. Geeft een sexy effect.

diep decolleté
Met dit model heb je een chique manier om sexy bloot te tonen.

gedraaid
Een klassiek model. De brede banden kruisen voorlangs en laten de buik bloot.

sportief
Geen gedoe met dit
sportieve, steunende
topje: je bent klaar
voor beachvolleybal!

bralette
Een op lingerie geïn-
spireerd topje met
zachte cups, geschikt
voor kleine cupmaten.

bandeau
Het bandje in het
midden geeft fraaie
plooitjes. Creëert een
mooie Y-lijn bij je hals.

strapless
Top zonder bandjes.
Soms rechttoe recht-
aan, soms gedraaid
voor plooi-effect.

ruches
Een vrolijke manier
om bij kleinere bor-
sten voor vorm en
volume te zorgen.

haltertop
Een brede rand on-
deraan en de band
rond de nek zorgen
voor steun.

retro
Het halterbandje en
de hartvormige
halslijn maken deze
fiftiesstijl supersexy.

triangel
Twee driehoekige
stukjes stof aan super-
smalle bandjes, vaak
met strik achterop.

knoop
De strik van voren
(eventueel vast-
genaaid) trekt alle
aandacht.

beugel
Een beugel geeft steun
bij grotere cupmaten.
Perfecte pasvorm, ook
op het strand.

push-up
Voorgevormde cups
met padding geven
je wat meer vrou-
welijke rondingen.

ring
Een houten of plastic
ring is een mooie aan-
dachtstrekker bij een
wat kleinere boezem.

bikinislip
Dit lage bikinibroekje
zorgde in de jaren
zestig voor een revo-
lutie in zwemkleding.

broekje
Standaard model; de
bovenrand is iets
dichter bij de navel
dan bij de bikinislip.

hoge taille
Combineer dit hoge
broekje met een
retrotop voor de
klassieke pin-uplook.

rokje
Bijpassend rokje: een
sexy manier om snel
iets gekleder voor de
dag te komen.

boyshorts
Een minisportmodel
waarbij je niet bang
hoeft te zijn dat je
broekje verliest.

hipster
Zo laag als maar
kan, en rechter over
de heupen dan bij
andere bikini's.

latino
Vrolijk en girly
broekje met ruches.
Suggereert rondingen
bij smalle heupen.

striklintjes
Met deze strikjes
ben je zo klaar voor
een nachtelijk par-
tijtje skinnydippen!

V
De lage, V-vormige
taille en hoog uit-
gesneden zijkanten
maken je benen langer.

tanga
Twee driehoekjes
van stof die met su-
perdunne bandjes
aan elkaar vastzitten.

brasilslip
Ga voor dit Brazili-
aanse broekje als je
wat meer van je billen
durft te laten zien.

string
Alleen voor de durf-
als, dit slipje waarin
je letterlijk met de
billen bloot gaat.

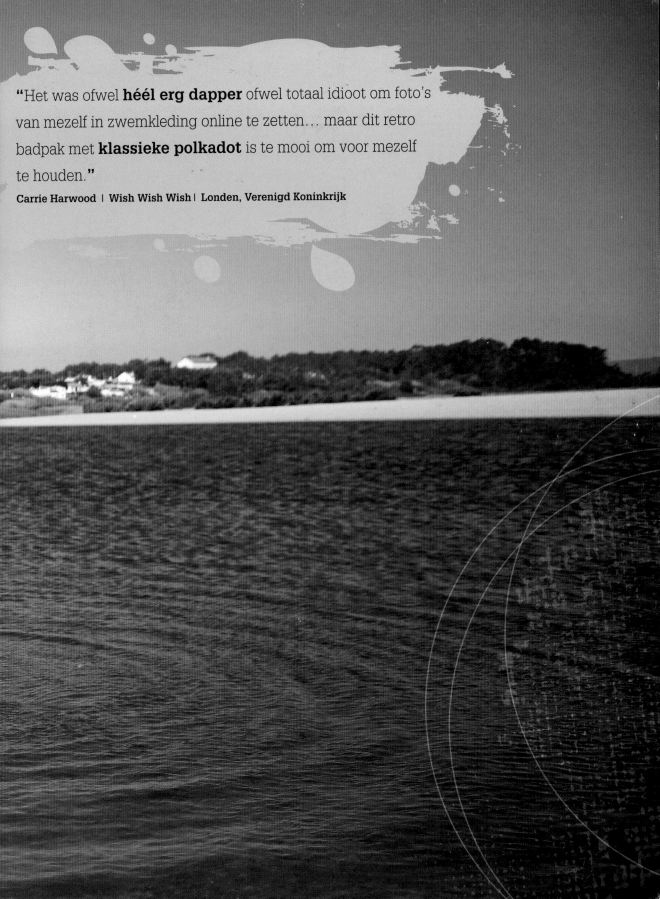

"Het was ofwel **héél erg dapper** ofwel totaal idioot om foto's van mezelf in zwemkleding online te zetten… maar dit retro badpak met **klassieke polkadot** is te mooi om voor mezelf te houden."

Carrie Harwood | Wish Wish Wish | Londen, Verenigd Koninkrijk

register

Carolina Engman | Fashion Squad
Stockholm, Zweden

Jessica Virgin | Vintage Virgin
Montrose, Verenigde Staten

Kennedy Holmes
Boston, Verenigde Staten

register

blogger index

Cristina Morales | La Petite Nymphéa
Barcelona, Spanje

Oliwia Kijo | Variacje
Lodz, Polen

Mayo Wo | Fleas on Glam Robe
Hong Kong, China

verantwoording

Onze dank gaat uit naar Shan Shan voor het beschikbaar stellen van haar foto voor op de voorkant van de omslag. Ook bedanken wij de bloggers die materiaal beschikbaar stelden voor de achterkant van de omslag.

Alle illustraties: Tabi Zarrinnaal.

Alle foto's van de bloggers: met dank aan henzelf. Alle andere foto's: Shutterstock, met de volgende toevoegingen:

Anik A.: 155 (Sania Claus) **Alamy:** 29 (the Supremes), 209 (Yayoi Kusama art), 215 (het model in de hoed van Phillip Treacy), 221 (Moira Shearer) **Jane en Judy Aldridge:** 1, 2–3 **Daniella Antonucci:** 44–45 (Autilia Antonucci) **Kristine Argulla:** 203 (Raez Argulla) **Montserrat Ayala:** 71 (Monica Cerino Manriquez) **Jared Balle:** 148 (Marcella Lau) **Ivar Björnsson:** 192 (Sigurbjorg Stefansdottir) **Amanda Brohman:** 134–135, 143, 167, 192 (Chantal van der Meijden) **Florian Calmel:** 103 (Lucile Vigier) **Phillip Charles Caradona:** 127 (Christina Caradona) **Kiko Lopez de Castro:** 203 (Alexandra Pereira Romero) **Tatenda Chipumha:** 138 (Camagwini) **Anthony Chow:** 9, 143 (Yuki Lo) **Marta Cieslikowska:** 143 (Coco Mayaki) **Cole Confer:** 88, 203 (Maria Confer) **Corbis:** 139 (Grace Jones), 164 (schilderij van Franz Marc), 200 (Karl Lagerfeld), 215 (het model in Rei Kawakubo design voor Comme des Garçons), 221 (het model in jurk van Erdem) **Damien Desseignet:** 78–79, 148, 192 (Aurélia Scheyé) **John Deyto:** 16–17, 19, 76–77, 104–105, 130 (Jazmine McGilbert) **Annie Fanai:** 211 (Esther Fanai) **Kristoffer Rustan Fidjestad:** 202 (Lena Fidjestad) **Martino di Filippo:** 142 (Veronica Ferraro) **Padraig Fitzgerald:** 102 (Khrystyna Marriott) **Funi:** 102 (Kanae Otomo) **Katie Gardner:** 193 (Kelli Murray) **Getty:** 109 (Anna Dello Russo), 215 (Kathleen Hanna) **Jasleen Kaur Gupta:** 71 (Sonu Bohra) **Bobby Hicks:** 27 (Keiko Groves) **Sing Ho:** 172–173 (Yuki Lo) **iStockphoto:** 29 (postzegel Tanger), 39 (laarzen, shorts), 90 (meisjes), 101 (kaart), 125 (vlooienmarkt), 134 (borden), 152 (oordopjes) **Greg Kessler:** 50–51 (Kelly Framel) **Sean Kilgore-Han:** 76–77 (accessoires) **Andreas Köttiritsch:** 71 (Eszter Farkas) **Kit Lee:** 8, 62–63, 66–67, 167 (Shini Park) **Los Angeles County Museum of Art:** 191 (Yoruba art; Digital Image © 2009 Museum Associates/LACMA/Art Resource, NY) **Rhiannon Leifheit:** 23 **Mila Mankovski:** 88 (Lida Mankovski) **Wes Mason:** 206–207 (Aimee Song) **Maria Morales:** 9, 97, 140–141, 143, 239 (Cristina Morales) **Sidney O.:** 70 (Folake Kuye Huntoon) **Michael Roy:** 31 (Jasna Zellerhoff) **Nuri Moeladi S.:** 55 (June Paski) **A. Peters:** 220–221 (Roz Jana) **JT Paradox:** 102 (Dyanna Pure) **Picture Desk:** 45 (*Picnic At Hanging Rock*, 1975 / Picnic/BEF/Australian Film Commission / The Kobal Collection), 178 (*Dynasty*, 1981-1989 / Spelling/ABC / The Kobal Collection) 178 (*Twin Peaks*, 1992 / Lynch-Frost/CIBY 2000 / The Kobal Collection), 209 (Anna Karina / The Kobal Collection) **Steve Salter:** 9, 119, 174–175 (Susie Lau) **Maurice Sampson:** 31, 55, 112–113, 229 (Liz Cherkasova) **Miguel Santana:** 126, 234–235 (Carrie Harwood) **Shannon Sewell:** 71, 178–179 (Jane Aldridge) **Luke Shadbolt:** 90–91 (Nicole Warne) **Jordy Sohier:** 143, 203 (Iris Gravemaker) **Eirik Slyngstad:** 148, 203 (Marianne Theodorsen) **Rebecca Stice:** 180–181 **Mattias Swenson:** 9, 122–123, 237 (Carolina Engman) **Michał Tokarski:** 73 (Alice Point) **Thomas Townsend:** 8 (Autilia Antonucci) **Drew Tyndell:** 8, 52–53, 100–101, 167 (Rhiannon Leifheit) **Veer:** 178 (speelgoed) **Yannick Verhoeven:** 118 (Ilanka Verhoeven) **Ronja de Waard:** 192 (Ilanka Verhoeven) **Kasia Wabik:** 55 (Alice Point) **Bruce Weber:** 51 (Iris Apfel) **Wikimedia Commons:** 101 (still uit *The Apartment*), 146 (Luisa Casati), 150 (bouclé swatch), 209 (Gustav Klimt's *Portret van Adele Bloch-Bauer*, 1907), 221 (illustratie uit Edmund Dulac's *De prinses op de erwt*, 1911) **Caroline Wilson:** 237 (Kennedy Holmes) **Kyle Wong:** 132–133, 239 (Mayo Wo) **Yayoi Museum:** 87 (Kasho Takabatake art) **Ariela Zaks:** 148 (Dar Mashiah) **Magda Zielasko:** 49 (Alice Point) **Jonty Van Zeller:** 8, 138–139, 205 (Funeka Ngwevela)

NUR 452/WO051201
© MMXII Nederlandse editie:
Blossom Books
Blossom Books is een imprint van
Uitgeverij Kluitman Alkmaar B.V.
Copyright © 2011 by Weldon Owen Inc.
Oorspronkelijke titel: *Style Yourself: Inspired Advice from the World's Top Fashion Bloggers*
Nederlandse vertaling: Annemarie Dragt, Merel Leene, Myrthe Spiteri
Opmaak binnenwerk: Marieke Brakkee
Alle rechten voorbehouden, inclusief het recht van reproductie in zijn geheel of in gedeelten, in welke vorm dan ook.

blossombooks.nl

Bijdrage designers:

Adrienne Aquino, Scott Erwert, Marisa Kwek, Renée Lundvall, Lisa Milestone

Speciale dank aan:

Mikayla Butchart, Kendra DeMoura, Discount Fabrics (Irving Street, San Francisco), Jann Jones, Marianna Monaco, Katharine Moore, Caroline Thaxton, Jess Zak en Mary Zhang.

Onze bijzonder grote dank gaat uit naar Dawn Ferguson, Kristen Strickler, de medewerkers van Forever 21 in Culver City (Verenigde Staten) en de medewerkers van Wasteland in Santa Monica (Verenigde Staten).